LOUIS XIV & VERSAILLES

MANGO

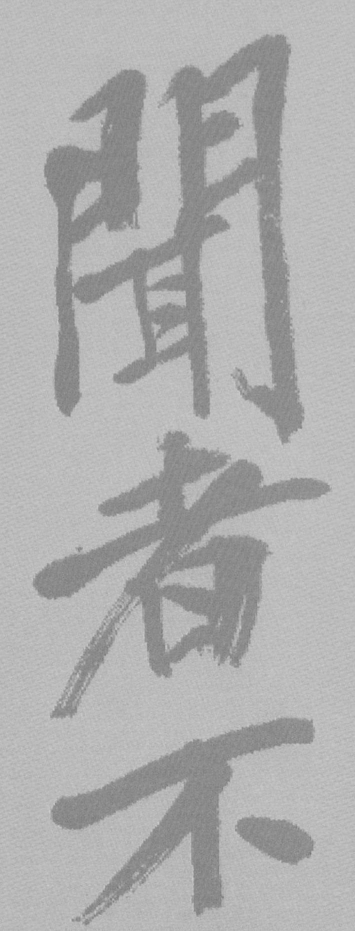

“Une image vaut mille mots”

Xun Zi (313-238 av. J.-C.)

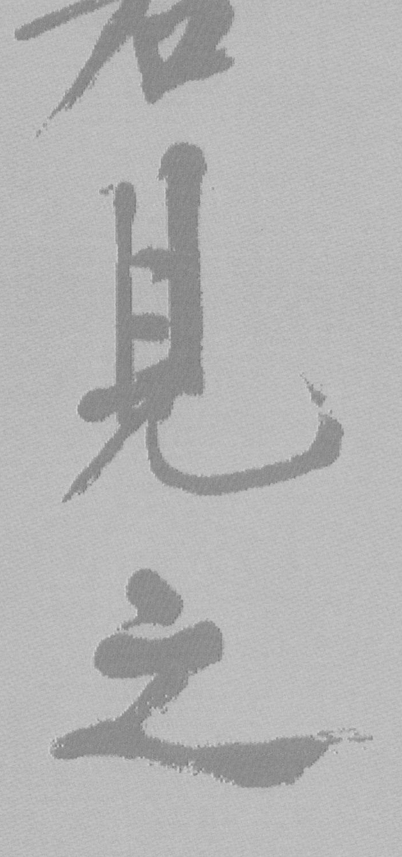

LA FRANCE, DE PAR SA POPU

Au début du XVIIe siècle, le monde compte probablement dans les 400 millions d'habitants. Un homme sur quatre est européen et un Européen sur cinq est français. Les chiffres de la carte montrent à quel point la France fait figure de géant démographique au sein de l'Europe (si les États allemands perdent huit millions d'habitants entre 1600 et 1700, c'est la conséquence de la guerre de Trente Ans, qui a ravagé le pays). Pour ce qui est des frontières, l'Italie, est morcelée entre une pléiade d'États. Il en va de même pour l'Allemagne. Quant à celles de la France (ici, celles de 1688), elles sont assez proches de celles d'aujourd'hui. Louis XIV va agrandir le pays de 40.000 km^{2} (la superficie de la Suisse).

LATION : UNE SUPER-PUISSANCE

L'Empire ottoman s'enfonce loin en Europe, l'Angleterre et l'Écosse ne forment pas encore le Royaume-Uni. Les puissances coloniales sont, comme au XVIe siècle, l'Espagne et le Portugal. Les Espagnols occupent l'Amérique centrale et l'Amérique du Sud excepté le Brésil, possession portugaise. Les Portugais ont des comptoirs le long des côtes africaines, dominent l'océan Indien et l'Extrême-Orient. De nouvelles puissances maritimes s'affirment. Il s'agit de la Hollande en Extrême-Orient, et de l'Angleterre et de la France qui ont jeté leur dévolu sur une zone qui s'étend des Antilles au Canada.

LES ROIS DE FRANCE BOUGENT BEA

C'est à Saint-Germain-en-Laye que naît le 6 septembre 1638 celui qui deviendra Louis XIV. Ses parents sont le roi Louis XIII et la reine Anne d'Autriche, fille du roi d'Espagne. Il naît après 23 ans de mariage. Saint-Germain-en-Laye est alors une des nombreuses résidences royales parmi lesquelles on compte Vincennes, Fontainebleau, Villers-Cotterêts, Chambord, les Tuileries, le Louvre... et pas encore Versailles, où cependant Louis XIII chasse déjà. À cette époque, gouverner c'est aussi voyager. Pour se montrer (c'est le meilleur moyen de communication), pour se distraire (on adore la chasse) ou tout simplement par salubrité (nécessité de nettoyer les fossés du Louvre des immondices qu'on y a jetées en hiver et que le début de l'été rend pestilentielles).

On voyage alors par coche d'eau ou coche de cheval, sortes d'autobus terrestres ou fluviaux. Madame de Sévigné raconte que, pour se rendre en Bretagne, elle fait une partie du voyage dans son carrosse... que l'on a arrimé sur le coche d'eau. Il ne faut pas compter sur la route pour élever la moyenne : un règlement du Parlement datant de 1623 stipule que les cochers ne pouvaient pas dépasser dix lieues par jour en hiver (une lieue = 3,933 km). On comprend, dans ces conditions, que c'était un comble de "rater le coche".

La France que l'on traverse alors est extraordinairement diverse. "Par toutes les provinces, le peuple parle un jargon différent de la langue des honnêtes gens", écrit Furetière, auteur d'un dictionnaire de la langue française, référence de l'époque. "J'avais commencé dès Lyon à ne plus guère entendre le langage du pays et n'être plus intelligible moi-même... ayant demandé à une servante un pot de chambre, elle mit un réchaud sous mon lit", raconte Racine dans une de ses lettres.

Les efforts de Colbert permirent la construction d'un réseau de 360 km de routes dans la région parisienne (essentiellement pour permettre au roi de rallier plus rapidement les lieux de chasse). Malgré cela, la route restera jusqu'à la fin du XVIIIe siècle un moyen de transport très aléatoire.

COUP, MAIS ILS BOUGENT LENTEMENT

1 h 56 pour faire Paris-Versailles-Paris : un record pour l'époque. En 1694, le prince d'Elbeuf parie avec le marquis de Chémerault qu'il pourra faire l'aller-retour Paris-Versailles en moins de 2 heures "avec un train de carrosse tiré par 6 juments". Elbeuf, à la manière des motards ouvrant la route à un cortège officiel, a droit de faire dégager la chaussée. Départ : 10 heures. Arrivée : 11 heures 56. Pari gagné. Elbeuf empoche 10 000 francs.

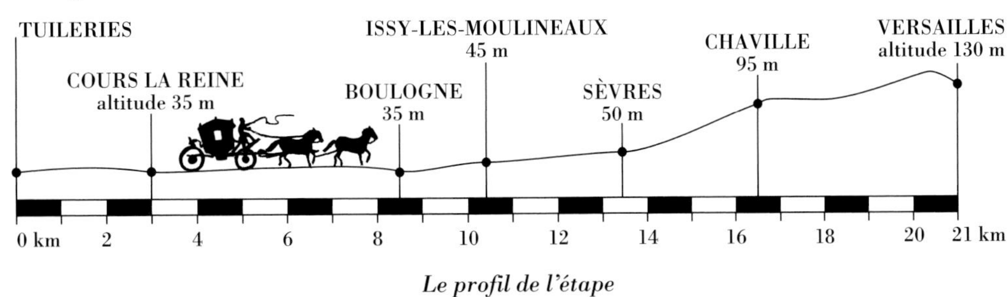

Le profil de l'étape

IL ÉTAIT UNE FOIS UN PAVILLON DE CHASSE

"Chétif château dont un simple gentilhomme
ne voudrait pas prendre vanité" (Bassompierre).

"Ne quittez jamais vos affaires pour votre plaisir ;
mais faites-vous une sorte de règle qui vous donne
des temps de liberté et de divertissement.
Il n'y en a guère de plus innocent que la chasse
et le goût de quelque maison de campagne,
pourvu que vous n'y fassiez pas trop de dépense"
(Louis XIV au duc d'Anjou).

La chasse est plaisir de roi.
D'ailleurs elle est interdite aux roturiers.
Louis XIII remet à l'honneur la chasse au faucon.
Cela consiste à dresser le faucon ou un autre oiseau de proie
encore niais (pris au nid) pour attaquer canards, faisans,
perdrix, oies sauvages ... Mission accomplie,
le faucon revient se poser sur la main du dresseur.

On chasse aussi "à cor et à cris" (chasse à courre),
c'est-à-dire avec une meute de chiens. Monseigneur,
fils de Louis XIV, écumera la région versaillaise et y prendra
les derniers loups. On chasse également à tir :
"Il n'y avait pas si bon tireur que lui ni avec tant de grâce",
écrit Saint-Simon de Louis XIV.
250 pièces à son tableau dans une journée ne sont pas rares.

Toujours est-il que c'est Louis XIII qui découvre
les lieux de Versailles. Il s'y plaît mais, la chasse terminée,
il est souvent tard pour rentrer à Saint-Germain.
Quant au Louvre, c'est à trois heures de route.
Alors il faut souper à "L'Écu de France" et dormir sur la paille
dans une des maisons du village. Louis XIII achète aux Gondi
la seigneurie de Versailles et s'y fait construire
par Philibert Le Roy le premier château
que Saint-Simon appellera "le château de cartes".
Plus tard, Louis XIV y viendra de Saint-Germain abriter
ses amours avec Louise de La Vallière.

VAUX-LE-VICOMTE : UN EX

AVOIR POUR DEVISE "QUO NON ASCENDAM ?" ("JUSQU'OU NE MONTERAIS-JE PAS ?") QUAND ON PRETEND SERVIR LE ROI SOLEIL EST POUR LE MOINS RISQUE. MAIS CELA FOUQUET NE LE SAIT PAS !

A la mort de Louis XIII, en 1643, Louis XIV a cinq ans. Sa mère Anne d'Autriche et son ministre Mazarin vont gouverner à sa place. Le temps passe, il est tout entier à ses plaisirs et à ses amours. Mais en 1661 survient la mort de Mazarin ; Louis XIV décide alors de prendre lui-même en main les rênes du pouvoir. Personne ne le prend au sérieux, pas même sa mère, Anne d'Autriche : "Il fait son important", dit-elle. Nul n'a écouté Mazarin qui avait dit de lui : "Il a en lui l'étoffe de quoi faire quatre rois et un honnête homme." Fouquet est surintendant des Finances ; à ce poste il a acquis une immense fortune ; il fait partie de l'équipe ministérielle que Mazarin laisse derrière lui, au même titre que Le Tellier ou Lionne. Intelligent, séduisant, homme de goût, mécène, Fouquet croit son heure arrivée, mais Colbert, ancien homme de confiance de Mazarin, veut sa perte et sa place ; il l'accuse de mélanger les comptes de la

EMPLE POUR VERSAILLES

nation et les siens propres. Fouquet pense qu'il a les faveurs du roi, c'est Colbert qui les a. Ses jours sont comptés. Il commet l'ultime maladresse de convier le roi à une fête extraordinaire dans son splendide château de Vaux-le-Vicomte qu'il vient de faire construire. La fête a lieu le 17 août 1661. Tout est somptueux : l'architecture est de Le Vau, les peintures de Le Brun, les jardins de Le Nôtre, la musique de Lully… c'est du Louis XIV avant l'heure. Louis XIV a retenu la leçon : c'est au roi d'éblouir ses sujets. À personne d'autre. L'arrestation de Fouquet sera faite par d'Artagnan* le 5 septembre 1661. Le procès fut politique, le verdict sévère : bannissement et emprisonnement à vie.

* Il fut capitaine des mousquetaires et n'a donc pas été inventé par Alexandre Dumas.

LES 3 MOUSQUETAIRES

Louis XIV, qui ne pouvait pas ne pas avoir admiré Vaux-le-Vicomte, va s'empresser de faire appel à l'équipe qui a travaillé pour Fouquet. Le Vau (architecture),

LE VAU

LOUIS LE VAU

Né à Paris en 1612.
Père maçon et entrepreneur.
Marié en 1639 avec Jeanne Laisné.
2 filles : Hélène et Jeanne.

1640 : *Edification de l'hôtel Hesselin, que j'ai conçu pour le sieur Hesselin, "Maître des plaisirs du roi".*

1642-1644 : *Expert en maçonnerie auprès des greffiers des Bâtiments du roi. Edification de l'hôtel Lambert puis du château de Sucy-en-Brie pour le même.*

1644 : *Achète charge anoblissante de secrétaire du roi. Entre 1640 et 1656, je construis 120 maisons, 47 hôtels particuliers, 12 châteaux...*

1658 : *Je construis le château de Vaux-le-Vicomte pour le sieur Fouquet, coordonne les 18 000 ouvriers et gère le budget de 2 millions de livres du chantier.*

1661 : *Premier architecte du roi.*

1665 : *Construction de l'actuel Institut de France.*

1667 : *Travaille conjointement avec le sieur Le Brun et Claude Perrault en petit conseil sur le projet du Louvre, monsieur Colbert ayant estimé "que cet ouvrage demandait le génie, la science et l'application de plusieurs personnes". La "colonnade" sort de mon cabinet, aidé par monsieur François d'Orbay.*

1668 : *Aménage pour Sa Majesté l'"enveloppe" de l'ancien château de Versailles. Travaux de décoration des appartements avec le sieur Le Brun.*

1665 : *Je deviens seigneur de Beaumont la Ferrière "Nivernais".*

Je meurs le 11 octobre 1670.

Hobby : Propriétaire d'une manufacture de fer-blanc et d'une forge qui fabrique des canons pour la marine. Amateur de livres d'art, de livres historiques et de livres religieux.

Le Collège des Quatres Nations, aujourd'hui Institut de France

DE VERSAILLES...

Le Brun (peinture), Le Nôtre (les jardins) vont être les grands artisans de la réussite de Versailles. Plus tard viendra Mansart. Voici leurs curriculums vitæ.

LE BRUN

Il fut le chef d'orchestre visuel de Versailles. Touchant à l'essentiel, n'oubliant pas le singulier, ne négligeant pas l'éphémère.

CHARLES LE BRUN

Né à Paris en 1619. Père sculpteur. Modelage avec mon père puis travaille dans l'atelier de Simon Vouet.

Esquisse pour le plafond de l'hôtel Lambert

1641 : Pour le cardinal de Richelieu : *"Hercule livrant Diomède à ses chevaux"*, dont monsieur Poussin a dit : "Ce qu'il voyait était d'un jeune homme qui serait un jour un des grands peintres qui eussent été".

1642 : Voyage à Rome avec Nicolas Poussin. Étudie Raphaël, les Antiques...

1645 : Retour à Paris.

1648 : Membre de l'Académie.

1658 : Chapelle de Saint-Sulpice ; galerie d'Hercule à l'hôtel Lambert.

1658-1661 : Décoration et peinture pour le surintendant des Finances Nicolas Fouquet à Vaux-le-Vicomte (décorateur, peintre, organisateur de la fête).

1662 : Louis XIV m'octroie des lettres de noblesse.

1663 : Chancelier à vie de l'Académie. Directeur de la manufacture royale des Gobelins, destinée à l'ameublement et à la décoration des résidences royales. Lissiers, fondeurs, graveurs, menuisiers, teinturiers travaillent sous mes ordres.

1664 : Confirmation comme premier peintre du roi. Le roi en tant que connaisseur me confie la direction et la garde générale du cabinet des tableaux et dessins de Sa Majesté.

1668 : Directeur de l'Académie de peinture.

De 1663 à 1690 : Comme directeur des Gobelins, j'ai supervisé la livraison de 19 tentures de haute lisse, 34 de basse lisse, comprenant chacune de 2 à 14 pièces, aidé par Van der Meulen, les Coypel, Houaisse... Dessine le mobilier d'argent de la galerie des Glaces, éléments de serrureries, carrosse : pour moi chaque accessoire utilitaire fait partie d'un tout. À Versailles : décor de la galerie des Glaces. Dessins de "la grande commande de 1674".

De 1674 à 1678 : L'escalier des Ambassadeurs. "Après la mort de monsieur Colbert, ayant désormais moins de commandes, je suis retourné à la peinture."

Je m'éteins en 1690.

Ce qu'on a dit de lui : "Il dessine, et l'œil est toujours satisfait." (J. Thuillier)

Le Nôtre

"Jamais homme n'a su mieux que lui ce qui peut contribuer à la beauté des jardins."
(*Le Mercure de France*, septembre 1700)

ANDRÉ LE NÔTRE

Né le 13 mars 1613. Fils de Jean le Nôtre, "premier jardinier du roi au grand jardin des Tuileries". Étudie la peinture chez Simon Vouet. Fréquente dans ma jeunesse le Louvre et tous les artistes qui y habitent.

Parterre de la Grotte du château de Meudon

Rencontre Étienne Flantrins, ouvrier en instruments de mathématiques, apprends le maniement du graphomètre qui permet la triangulation géodésique. Me familiarise avec les lois de l'optique. Parfais mes connaissances en matière de géométrie avec mon beau-père François Langlois, sieur du Hamel, conseiller ordinaire de l'artillerie de France. Enfin, me trouve en communion d'esprit avec le "Traité du jardinage selon les raisons de la nature et de l'art" de Jacques Boyceau de la Barandière.

Ce que j'aime : mettre en valeur l'architecture en créant des zones de soleil (les parterres) qui, à leur tour, mettent en valeur les zones d'ombre (les bosquets). Créer sans cesse des effets de surprise en faisant surgir, au détour d'une allée, une pièce de verdure que rien ne laissait prévoir... alterner les végétations basses et les végétations hautes... jouer du bruit des fontaines... placer des miroirs d'eau qui donnent du souffle à la composition... donner une idée d'infini en jouant avec les perspectives.

J'apprécie ce compliment fait à propos de mon travail par la princesse de Conti : "Si tout n'est pas à moi, tout est à mes regards."

Ma carrière :

1635 : À 22 ans, "premier jardinier de Monsieur, frère du roi." Travaille au jardin des Tuileries. Trace la perspective des Champs-Élysées.

1656-1661 : Travaux de Vaux-le-Vicomte.

1658 : Contrôleur général des bâtiments et jardins du roi.

1675 : Décoré de l'ordre de Saint-Lazare et du Mont-Carmel, lettres de noblesse.

1679 : Voyage en Italie. Rencontre avec le pape.

1693 : Nommé dans l'ordre de Saint-Michel.

15 septembre 1700 : La mort me prend dans ma maison de Tuileries.

Références : Château de Clagny pour Madame de Montespan, Saint-Cloud pour Monsieur, Meudon pour Louvois, Saint-Germain-en-Laye, Fontainebleau...

Hobby : Adore chiner. Dispose d'une assez jolie collection de tableaux, laques, porcelaines, médaillons.*

* Sa collection était si connue que Le Nôtre, lorsqu'il s'absentait, laissait la clef à un certain endroit pour que les curieux puissent entrer chez lui et admirer à leur guise. Il en léguera une partie à Louis XIV.

… ET LE QUATRIÈME

MANSART

**"Je puis en un quart d'heure faire vingt ducs et pairs ;
et dans bien des siècles je ne pourrais faire un Mansart." (Louis XIV)**

Jules Hardouin-Mansart

Né le 16 avril 1646 de Raphaël Hardouin-Mansart, peintre du roi, et de Marie Gaultier, nièce de François Mansart.

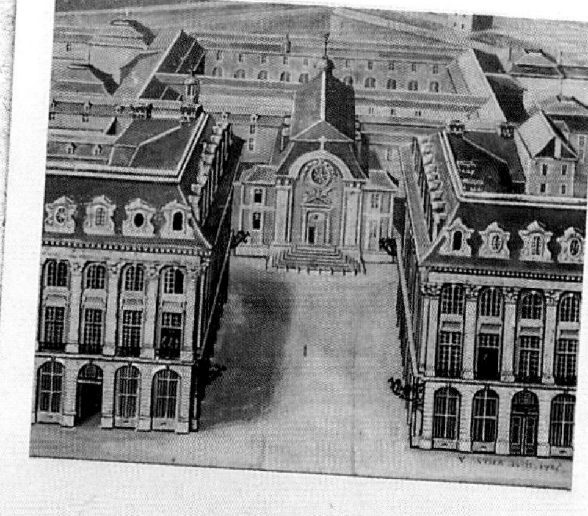

La place Vendôme.

Après le dessin chez Poerson, élève de François Mansart, puis chez Libéral Bruant. Travaille pour le duc de Créqui, puis collabore avec mon grand-oncle François Mansart aux hôtels de Condé et de Carnavalet.

***1672** : Voyage dans le Languedoc, envoyé par monsieur Colbert pour inspecter les travaux du Canal des 2 mers (Canal du Midi, entre l'Atlantique et la Méditerranée).*

***1675** : Nommé à l'Académie d'architecture.*

***1676** : Église de l'hôtel des Invalides, commandée par monsieur Louvois.*

***Début 1679** : Commence la galerie des Glaces puis l'aile du Midi et l'aile du Nord du château de Versailles.*

***1681** : Premier architecte du roi.*

***1682** : Le château de Dampierre pour le duc de Chevreuse.*

***1684** : L'Orangerie de Versailles. L'église Notre-Dame.*

***1685** : La place des Victoires.à Paris*

***1686** : La maison d'Éducation de Saint-Cyr pour Madame de Maintenon.*

***1687** : La place Vendôme. Début de la construction de la chapelle de Versailles sous la direction de Robert de Cotte.*
Caractéristiques : La plus grosse agence de France. Bureaux à Marly, Paris, Versailles.

***1708** : La vie m'abandonne à Marly.*

Les Invalides

Nicodème Tessin, architecte du roi de Suède venu à l'époque admirer Versailles, le complimentera "d'avoir introduit le grand et le simple en France… et débarrassé les bâtiments de ce qui tenait un peu du colifichet", et Mansart d'ajouter que "le simple est plus malaisé à attraper que les autres manières".

VERSAILLES, QUAND C'EST

"À DÉFAUT DES ACTIONS ÉCLATANTES DE LA GUERRE, RIEN NE MARQUE DAV

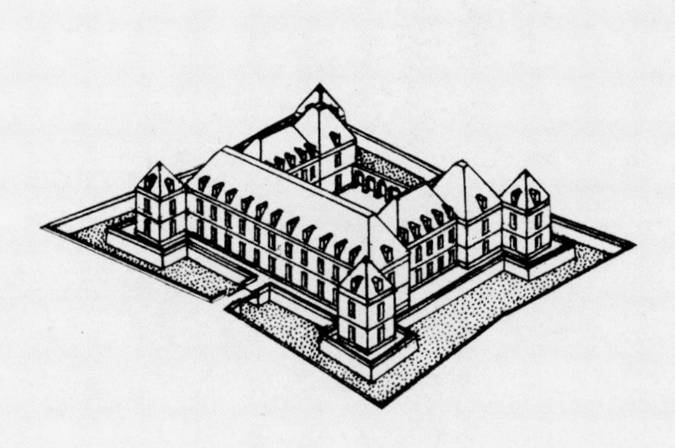

1634

Le château de Louis XIII dit "château de cartes", œuvre de Philibert Le Roy.

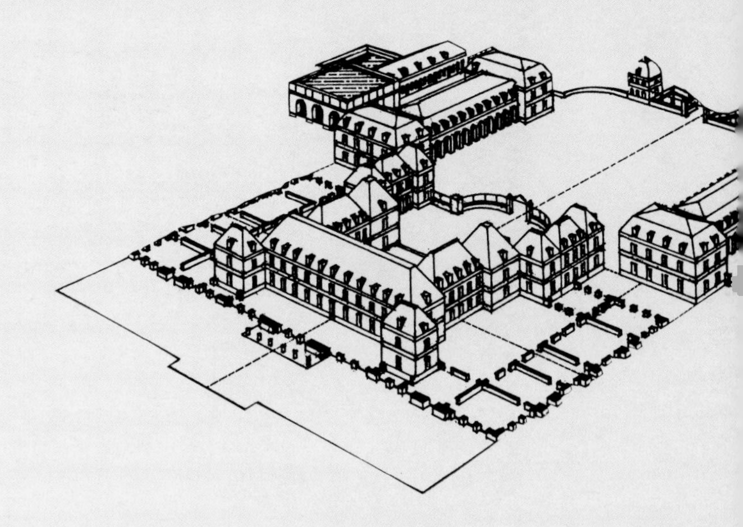

1668

Début de "l'enveloppe" de Le Vau. L'opération consiste à entourer le château de Louis XIII sans le détruire.

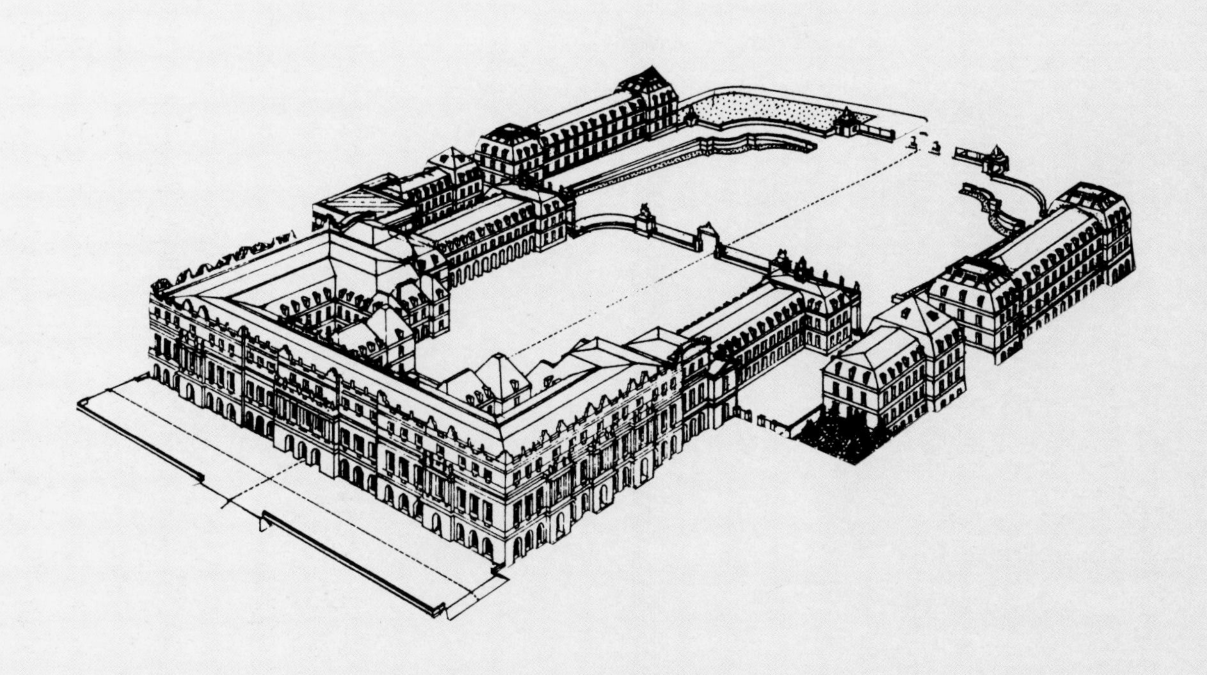

1674

Mansart couvre la terrasse (galerie des Glaces), construit les ailes des Ministres côté ville, ainsi que les écuries.

**Louis XIV n'habite Versailles définitivement qu'à partir de mai 1682 et y vivra dans un chantier permanent.*

FINI, ON RECOMMENCE*

GE LA GRANDEUR ET L'ESPRIT DES PRINCES QUE LES BÂTIMENTS." (LOUIS XIV)

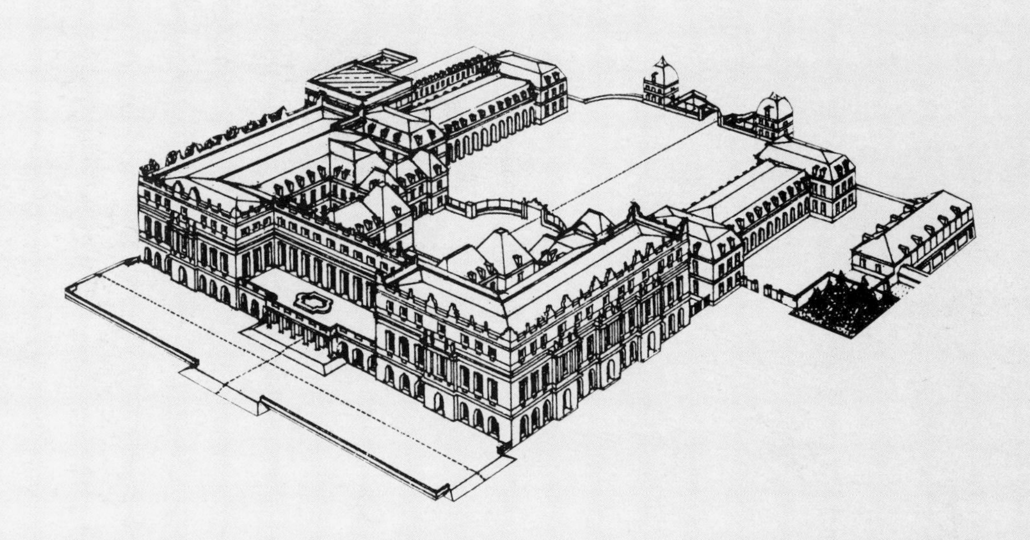

1671

"L'enveloppe" est achevée. Apparaissent clairement deux ailes : l'aile du Roi et l'aile de la Reine, de part et d'autre de la terrasse.

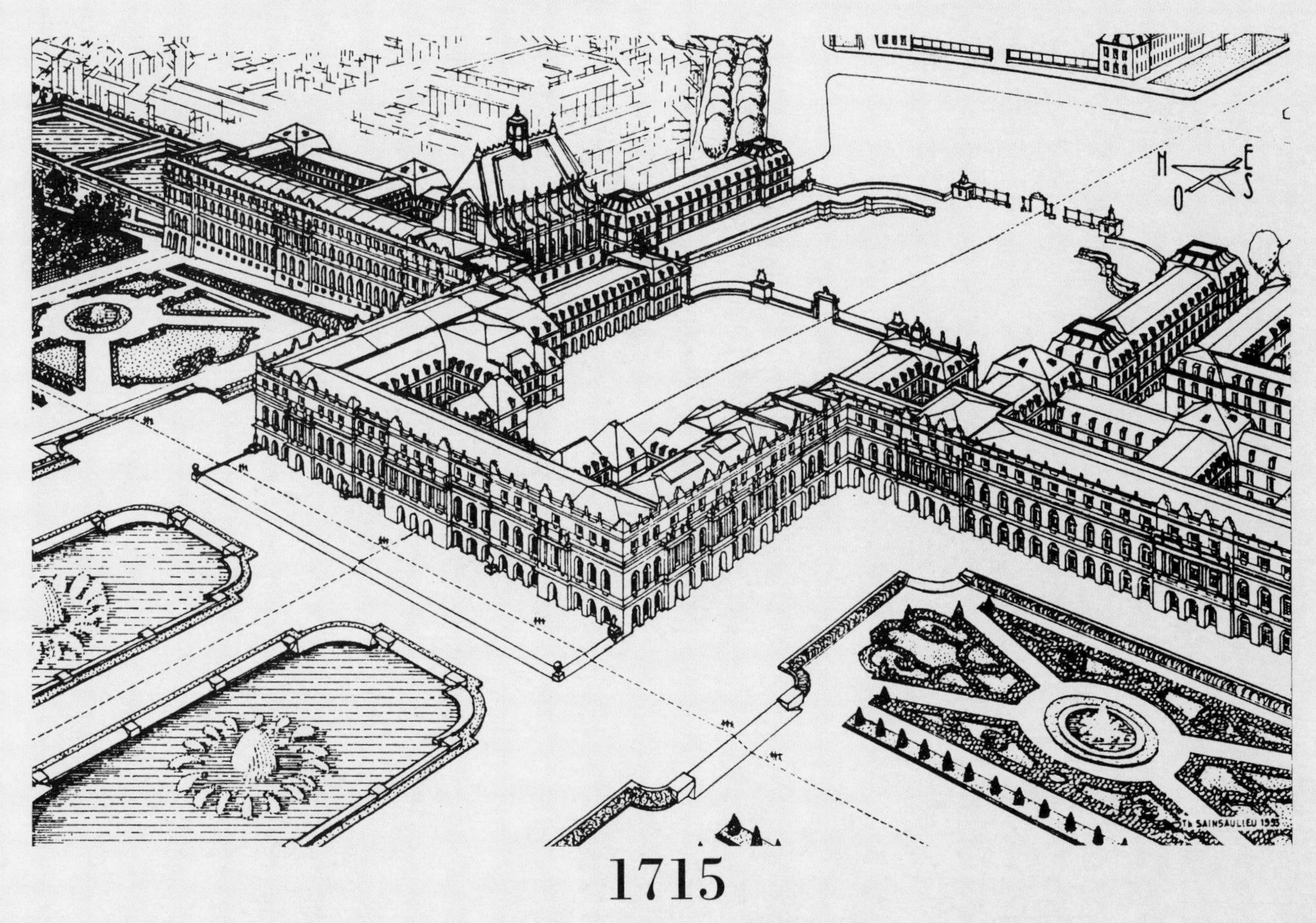

1715

À la mort de Louis XIV, le château présente presque son état actuel. Mansart a construit les ailes du Nord et du Midi. Robert de Cotte a achevé en 1710 la chapelle conçue par Mansart.

SI VERSAILLES

"IL FAUT ÉPARGNER CINQ SOUS AUX CHOSES NON NÉCESSAIRES E

Les comptes des Bâtiments du roi nous permettent de suivre, année par année, l'état des dépenses.

Voici quelques chiffres pris dans les années 1685 !

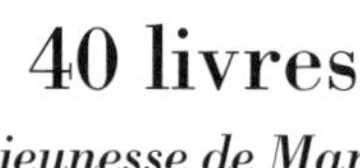

40 livres

"A la jeunesse de Martillac, soldat du régiment de Monseigneur, qui a perdu un œil en travaillant aux réservoirs de la pompe ... 40 livres."

40 livres*

"À Joseph Montailleur, carrier, qui a eu la jambe cassée en travaillant à la carrière de Saint-Fiacre ... 40 livres."

80 millions de livres

Calculer en équivalences actuelles le coût du château est pratiquement impossible, même si on a pu dire qu'il n'avait pas coûté plus cher à la royauté qu'un porte-avions à la République. Tous les historiens s'accordent à dire qu'il aurait coûté dans les 80 millions de livres sur quarante ans. Le budget de l'État étant alors dans les 100 millions de livres, il aurait donc coûté en moyenne 2% du budget annuel.

43 km

Les murs qui entouraient Versailles en tant que propriété royale faisaient 43 kilomètres. Ils auraient englobé le périphérique.

* Pour mieux évaluer le prix voir chapitre "Le pain des Français" p. 60 - 61.

2 500 personnes : on estime entr

M'ÉTAIT COMPTÉ

ETER DES MILLIONS QUAND IL S'AGIT DE VOTRE GLOIRE." (COLBERT)

100 livres

"À Martin Catel, garçon plombier, en considération qu'il est perdu de ses membres... 100 livres."

308 livres

"Aux Liards, taupiers, pour 1765 taupes qu'ils ont prises dans les avenues et jardins des maisons royales pendant les six derniers mois de 1682 ... 308 livres, 17 sols, 6 deniers."

36 000 personnes

Le 31 mai 1685, Dangeau évalue à "36 000 personnes les gens qui travaillent présentement ici ou aux environs de Versailles". Soit deux fois la population d'Albertville. Les travaux durèrent une quarantaine d'années.

500 et 5 000 les personnes vivant au château.

LE ROI-SOLEIL : POURQUOI ?

Le symbole du Soleil n'est pas un thème nouveau. Déjà il était apparu chez les Valois. (Cette branche s'étant éteinte avec Henri III, la branche des Bourbons dont faisait partie Louis XIV lui avait succédé à la tête du royaume de France.)

C'est en 1653 que l'on vit pour la première fois Louis XIV danser dans le *Ballet de la nuit* costumé en soleil.

Au grand carrousel de 1662, fête qui eut lieu à Paris, Louis XIV a adopté le soleil pour emblème. Autour de lui, les cavaliers ont choisi des emblèmes et des devises qui lui répondent en écho.

Le comte de Vivonne, un miroir ardent avec pour devise : "Tua munera jacto" (C'est ce que j'ai reçu de toi que je reflète).

Le comte de Saint-Aignan, un laurier avec pour devise "Je suis consacré au Soleil."

Le comte du Lude, un cadran exposé au soleil avec la devise : "Te sine nomen iners" (Sans toi je ne suis rien).

Monsieur, frère du roi, avait pris l'astre lunaire sur son bouclier avec pour devise : "Uno fratre minor" (Je ne suis inférieur qu'à mon frère).

Le prince de Condé, un croissant de lune...

Mais Louis XIV lui-même

LOUIS XIV RÉPOND.

s'est expliqué sur le choix du soleil comme emblème. Parlant des devises : "Ce fut là que je commençai à prendre celle que j'ai toujours gardée depuis, et que vous voyez en tout lieu. Je crus que sans s'arrêter à quelque chose de particulier et de moindre, elle devait représenter en quelque sorte les devoirs d'un prince, et m'exciter éternellement moi-même à les remplir. On choisit pour corps le soleil, qui, par la qualité d'unique, par l'éclat qui l'environne, par la lumière qu'il communique aux autres astres qui lui composent comme une espèce de cour, par le partage égal et juste qu'il fait de cette même lumière à tout les divers climats du monde, par le bien qu'il fait en tous lieux, produisant sans cesse de tous côtés la vie, la joie et l'action par son mouvement sans relâche, où il paraît néanmoins, toujours tranquille, par cette course constante et invariable, dont il ne s'écarte et ne se détourne jamais, est assurément la plus vive et la plus belle image d'un grand monarque."

Mais, comme le fait remarquer François Bluche, "318 médailles chantent Louis XIV. 17 seulement le rattachent à Apollon (dieu solaire), contre 218 au dieu Mars, 98 à Jupiter et 5 à Mercure."

LOUIS XIV : IL RÈGN

6 MOIS
(début 1639)

Lettre de l'ambassadeur de Suède: "Le Dauphin a déjà changé trois fois de nourrice. Les femmes que l'on a choisies pour cet office se récusent parce que cet enfant robuste et d'un tempérament ardent leur déchire les mamelles en les mordant ... Que les voisins de la France se méfient d'une rapacité si féroce."

5 ANS
(1643)

Au roi Louis XIII qui l'interroge :
– Comment avez-vous nom à présent ?
– Louis XIV.
– Pas encore, répondit Louis XIII.

10 ANS
(1648)

Louis XIII est mort. La France est dirigée par Anne d'Autriche (mère de Louis XIV) et le cardinal de Mazarin. Bordeaux s'est révoltée, Mazarin a promis une amnistie généralisée, ce que Louis XIV considère comme une humiliation. Contraint, il doit faire bonne figure en entrant dans Bordeaux mais murmure : "Je ne serai pas toujours un enfant". Il a 13 ans.

22 ANS
(1661)

Mazarin meurt. L'archevêque de Paris, désorienté, ne sait plus où prendre ses ordres.
– Votre Majesté m'avait ordonné de m'adresser à Monsieur le Cardinal pour toutes les affaires. Le voilà mort : à qui veut-elle que je m'adresse ?
– À moi, Monsieur l'Archevêque !

Louis XIV eut beau écrire en 1700 dans ses "Instructions au duc d'Anjou" : "N'ayez d'attachement p
"Que le temps que nous donnons à notre amour ne soit jamais pris au préjudice de

MARIE-THÉRÈSE D'AUTRICHE
1638-1683
Fille de Philippe IV, roi d'Espagne, et d'Élisabeth de France, sœur de Louis XIII. Première épouse de Louis XIV. Le mariage eut lieu le 9 juin 1660. D'abord épris, Louis XIV s'en lasse très vite mais continue à se montrer assidu auprès d'elle. Sa mort, survenue en 1683, fit dire au roi que c'était la première fois qu'elle lui faisait de la peine.

LA VALLIÈRE
(Louise-Françoise de La Baume Le Blanc, duchesse de) 1644-1710
Elle fut la maîtresse du roi de 1662 à 1667. Modeste, elle n'en tira jamais gloire : "Elle ne songeait qu'à être aimée du roi et à l'aimer." Délaissée, elle se retira comme religieuse au Carmel.

72 ANS, IL VIT 77 ANS

31 ANS
(1679)

Louis XIV est en “état de grâce”. Colbert crée toute une série d’académies : musique, sciences, architecture, peinture. Elles ont pour mission de glorifier le roi qui, s’adressant à la “petite académie”, dit : “Je vous confie la chose la plus précieuse du monde : ma renommée.”

41 ANS
(1679)

“Sa Majesté le roi est robuste. Elle a 41 ans... À cette constitution corporelle parfaite, correspond celle de l’esprit. Il parle avec une élégance exquise ; il répond si bien aux ministres des princes qu’il résume les points principaux de leurs discours respectifs, en y apportant la réponse la plus convenable, sur un ton de voix agréable et harmonieux...” (Domenico Contarini, ambassadeur vénitien).

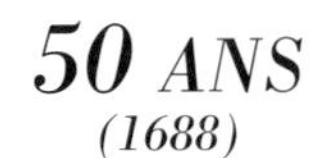

50 ANS
(1688)

“Le roi est entré dans sa cinquante-deuxième année, il se porte fort bien, et il est extrêmement robuste et vigoureux... Il a la taille fort riche et fort avantageuse. S’il n’était pas le roi par le droit de sa naissance, il mériterait de l’être par ses belles qualités et par sa présence... Il écoute en maître, et il parle en père. Il se possède si bien, que ni la joie, ni la tristesse, ni la colère, n’ont point de pouvoir sur lui” (Primi Visconti).

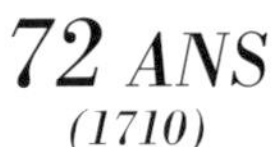

72 ANS
(1710)

Sa famille est décimée. Les défaites militaires ont succédé au succès. “Au milieu de la tristesse universelle et des pleurs de la Cour, il garda un front intrépide et un œil serein ; au lieu de se montrer affligé, il assumait le rôle de consolateur; il est certain qu’au milieu des pires adversités, jamais il n’est sorti de sa bouche un mot qui ne soit plein de dignité, de fermeté et de résignation” (le nonce Corneglio Bentivoglio, envoyé du pape).

sonne”, il eut de nombreuses maîtresses du vivant même de la reine, mais respecta toujours la règle : ires.” Trois de ses maîtresses le furent en titre, la dernière devait devenir sa femme.

MONTESPAN
(Françoise, Athénaïs de Rochechouart, marquise de) 1640-1707
Une des plus belles femmes de son époque, douée d’une vivacité d’esprit redoutable, qui faisait dire à la Cour que “passer sous ses fenêtres c’était passer par les armes”. Elle resta la maîtresse du roi, avec des éclipses, de 1667 à 1680.

MAINTENON
(Madame Scarron, née Françoise d’Aubigné, marquise de) 1635-1719
Elle épouse à 16 ans le poète Scarron, de 26 ans son aîné. Infirme et malade, il ne tarde pas à mourir et la laisse criblée de dettes mais riche de relations. Devenue la gouvernante des enfants du roi et de Madame de Montespan, elle séduit Louis XIV qui l’épouse secrètement, probablement en 1683.

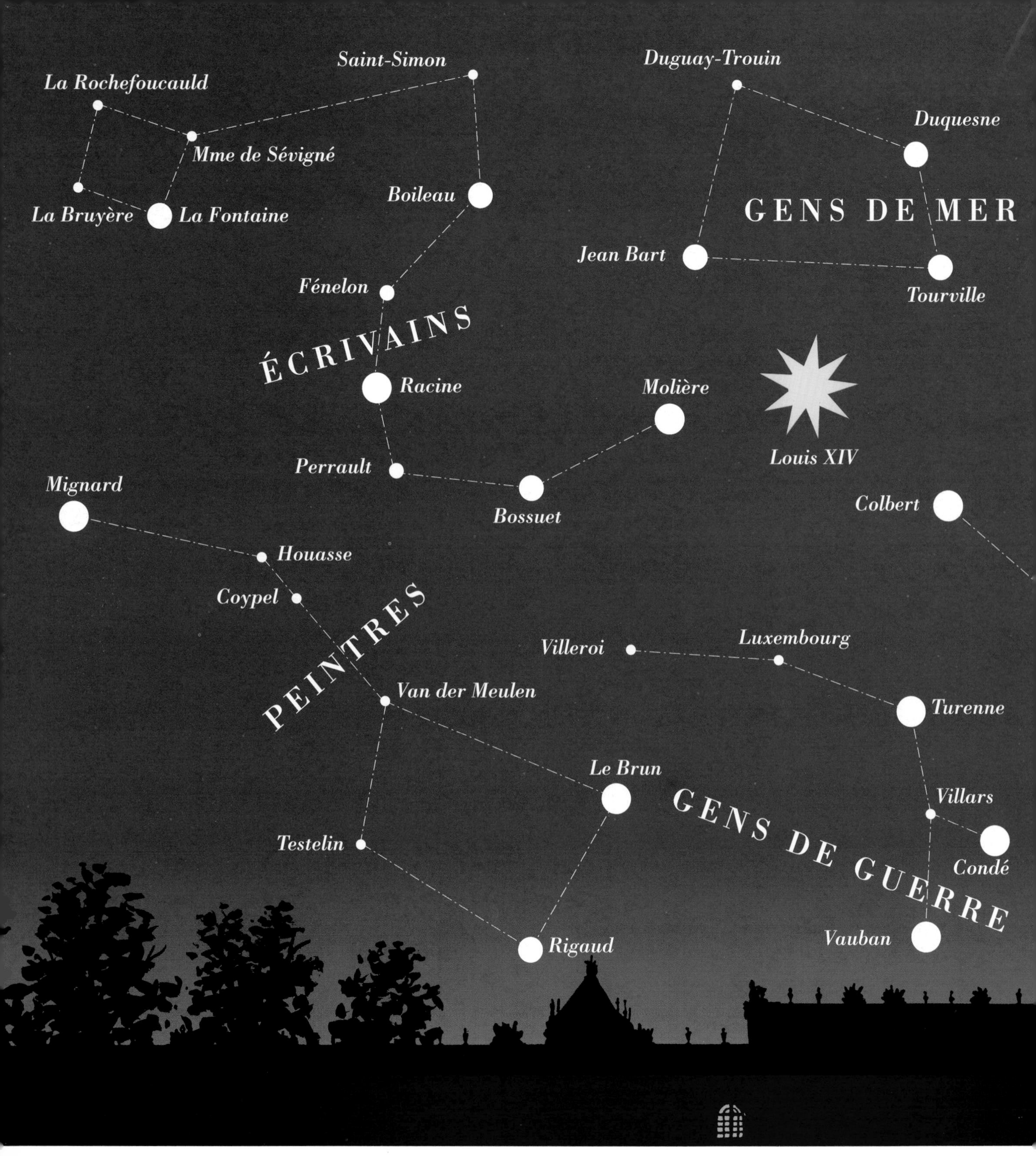

LE SYSTÈME

AUTOUR DE LOUIS XIV, BEAUCOU

"Si j'avais fait pour Dieu ce que j'ai fait pour cet homme, je serais sauvé dix fois" (Colbert parlant de Louis XIV sur son lit de mort). De 1661 à sa mort, Louis XIV n'eut que 6 chanceliers, 5 contrôleurs généraux des finances, 5 secrétaires d'État à la guerre, 5 pour l'étranger, 4 à la marine. Louis XIV eut donc peu d'hommes à son service mais il leur demanda beaucoup. "Ses ministres au-dedans et au-dehors étaient alors les plus forts d'Europe", dit Saint-Simon, qui pourtant n'arrête pas de pester contre l'intrusion de tous ces bourgeois aux commandes de l'État. "Tout était florissant dans l'État, tout y était riche ! Colbert avait mis les finances, la marine, le commerce, les manufactures,

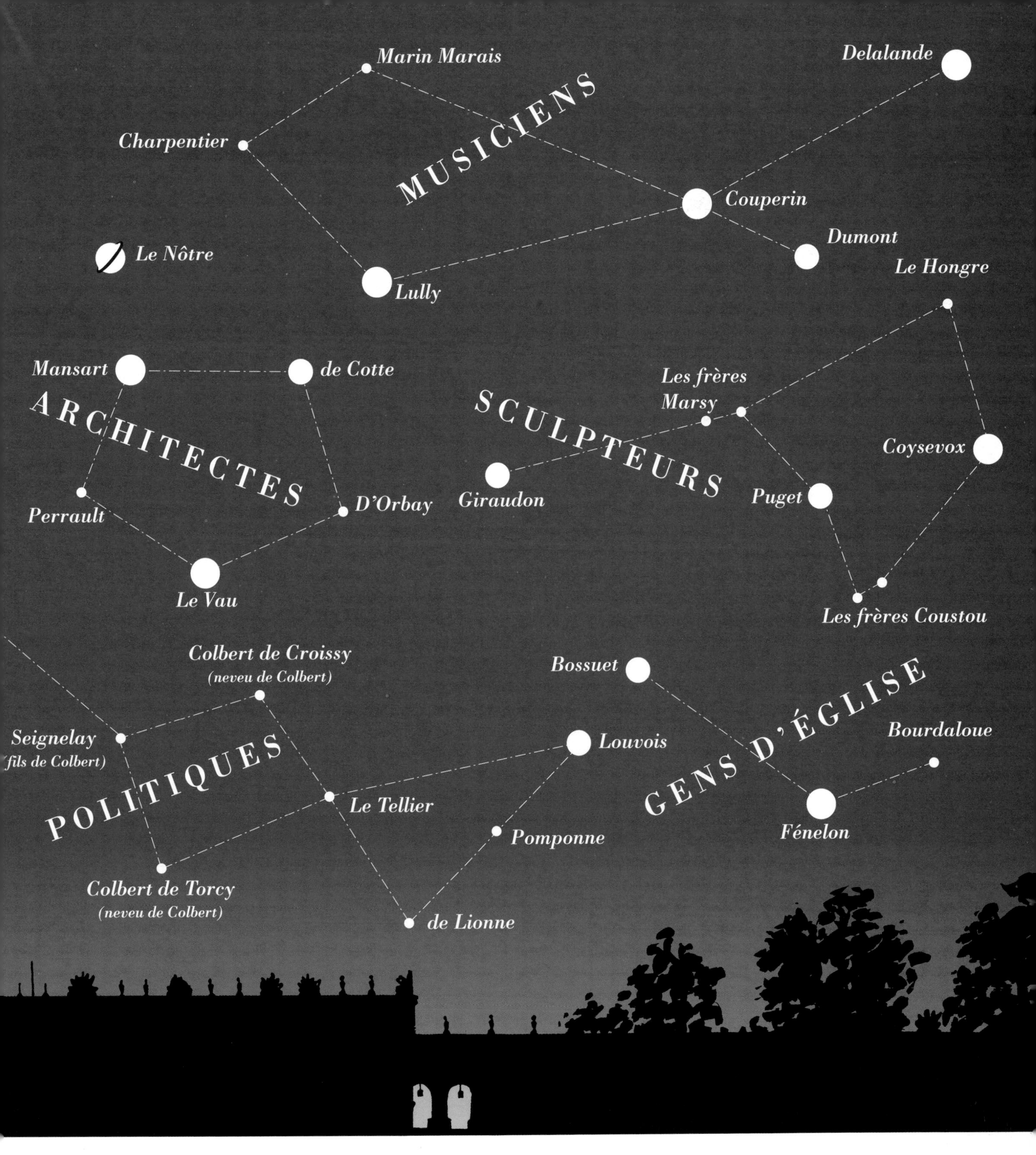

OLAIRE

E PERSONNAGES BRILLANTS

les lettres mêmes, au plus haut point ; et ce siècle, semblable à celui d'Auguste, produisait à l'envi des hommes illustres en tous genres" (Saint-Simon). Louis XIV sut admirablement s'entourer. Peu enclin à l'intellectualisme, Mazarin, qui avait pris en charge son éducation politique, sut encourager en lui le côté pragmatique. Il savait prendre ce qui pouvait le servir ou servir l'État. Il sut promouvoir des gens de talent en dehors de toute considération de naissance. Ayant vécu, dans sa jeunesse, la Fronde pendant laquelle la noblesse tenta d'amoindrir le pouvoir royal, il se méfia d'elle toute sa vie.

À LOUIS XIV, L'OSCAR

DÈS LA CÉRÉMONIE DU LEVE

"Jamais personne ne vendit mieux ses paroles, son sourire même, jusqu'à ses regards. Il rendit tout précieux par le choix et la majesté, à quoi la rareté et la brièveté de ses paroles ajoutaient beaucoup" (Saint-Simon).

Pour mieux maintenir la noblesse sous sa coupe, Louis XIV fait de tout un cérémonial, et ce, dès le lever.

8 H

Heure du lever, le premier valet s'approche du lit et murmure : "Sire, voici l'heure." Suivent le premier médecin et le premier chirurgien qui examinent le roi.

8 H 15

Entre le premier gentilhomme de la chambre du roi. Il ouvre le rideau du lit. (Six personnes sont déjà entrées dans la chambre.)

DE 8 H 30 À 9 H

Se succèdent les grandes entrées composées des membres de la famille royale, des princes du sang et des officiers de la Couronne, le grand chambellan, le grand maître et le maître de la garde-robe, le premier valet de garde-robe ; peuvent participer également les trois autres gentilshommes de la chambre et les trois premiers valets (ils sont alors au minimum 22). Le premier valet de chambre dépose quelques gouttes d'esprit de vin sur les mains du roi. Le grand chambellan présente le bénitier. Louis XIV se signe.

DE LA MISE EN SCÈNE

ON REFUSE DU MONDE

Tous les assistants se dirigent vers le cabinet des conseils. Un aumônier les attend. L'office dure un quart d'heure, le roi l'a suivi de son lit. On introduit le barbier et le valet du cabinet des perruques.
Le roi en choisit une et sort de son lit, chausse ses mules, enfile sa robe de chambre, s'assoit sur un fauteuil.
Le grand chambellan lui ôte son bonnet de nuit. Le premier barbier commence à le peigner (on le rase tous les 2 jours). Le petit lever est terminé. Voilà l'heure des secondes entrées.
Le grand lever commence avec le médecin et le chirurgien ordinaire, l'intendant et le contrôleur de l'argenterie, le premier valet de la garde-robe, les gentilshommes titulaires de "brevet d'affaires".

Le roi est sur son fauteuil, le barbier achève de le peigner et lui ajuste sa perruque du lever, moins haute que celle de la journée. Entrent les "gens de qualité", chacun donne son nom à l'huissier. (Il y a désormais au moins 50 personnes dans la pièce.)

IL EST 9 H

Le roi prend le petit déjeuner : deux tasses de tisane ou de bouillon. Il ôte sa robe de chambre et le Dauphin lui tend sa chemise. On offre au roi les cravates, il en choisit une. On lui tend trois mouchoirs, il en prend deux. L'horloger remonte sa montre. Le roi est prêt, il s'agenouille sur le prie-dieu et fait ses prières. Enfin, il change de perruque et passe dans son cabinet de travail.

L'AGENDA

8h00 Lever
8h15 Grandes Entrées
8h30 Grand Lever (Petites Entrées
9h00 Petit Déjeuner
9h30 RV Ministres dans le Cabinet du Conseil
– donner des ordres pour la journée
Départ pour la messe –
10h00 Messe (penser à faire donner un motet cf Delalande)
Retour de la messe → s'enquérir des placets

Les placets sont des requêtes écrites, qu'au début de son règne, Louis XIV lit personnellement. Tout le monde peut en formuler.

10h15 11h00 Conseil
Dimanche, lundi, mercredi : Conseil d'Etat ou Conseil d'En Haut.

Le plus important, le dimanche. On y débat des questions les plus graves.

Samedi – Conseil des Finances
Jeudi : Audiences (jardiniers architectes)

"Avec un almanach et une montre, on pouvait à trois cents lieues d'ici dire ce qu'il faisait" (Saint-Simon).

U ROI

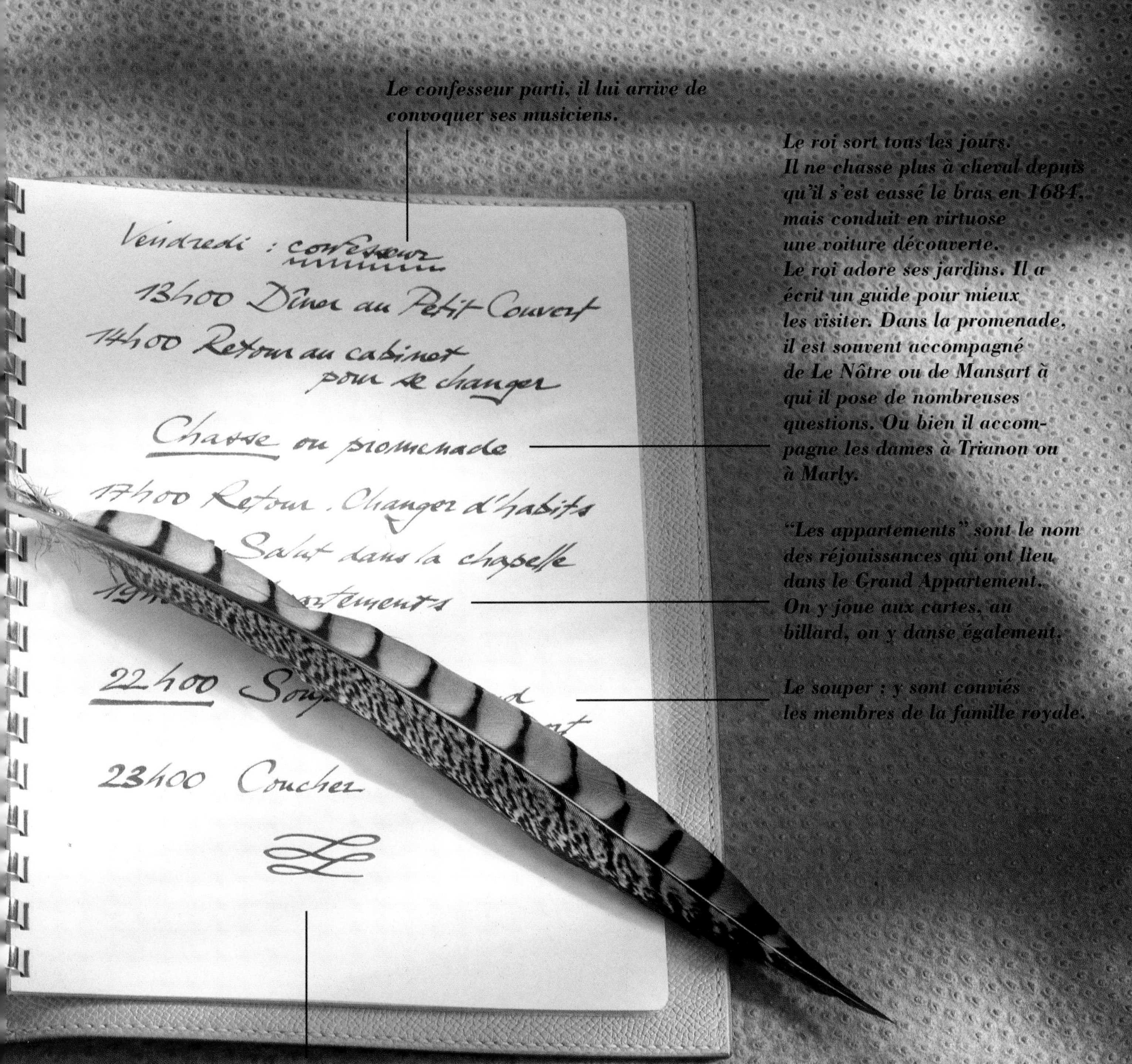

Le confesseur parti, il lui arrive de convoquer ses musiciens.

Le roi sort tous les jours.
Il ne chasse plus à cheval depuis qu'il s'est cassé le bras en 1684, mais conduit en virtuose une voiture découverte.
Le roi adore ses jardins. Il a écrit un guide pour mieux les visiter. Dans la promenade, il est souvent accompagné de Le Nôtre ou de Mansart à qui il pose de nombreuses questions. Ou bien il accompagne les dames à Trianon ou à Marly.

"Les appartements" sont le nom des réjouissances qui ont lieu dans le Grand Appartement. On y joue aux cartes, au billard, on y danse également.

Le souper ; y sont conviés les membres de la famille royale.

Même cérémonial qu'au lever, agrémenté de la cérémonie du bougeoir où jour après jour change l'heureux bénéficiaire qui a l'honneur de tenir le bougeoir du roi.
"Vous pouvez compter que le roi est un malin. Ô! Que de monde il paie avec un regard" (Primo Visconti).

COMMENT S'H

Le roi détestait les chapeaux gris (voir mode d'emploi, p. 54).

Les moustaches : dans sa jeunesse le roi les a fines. Les sourcils sont épilés en arcs minces savamment dessinés. (Louis XIV est rasé tous les deux jours par son barbier.)

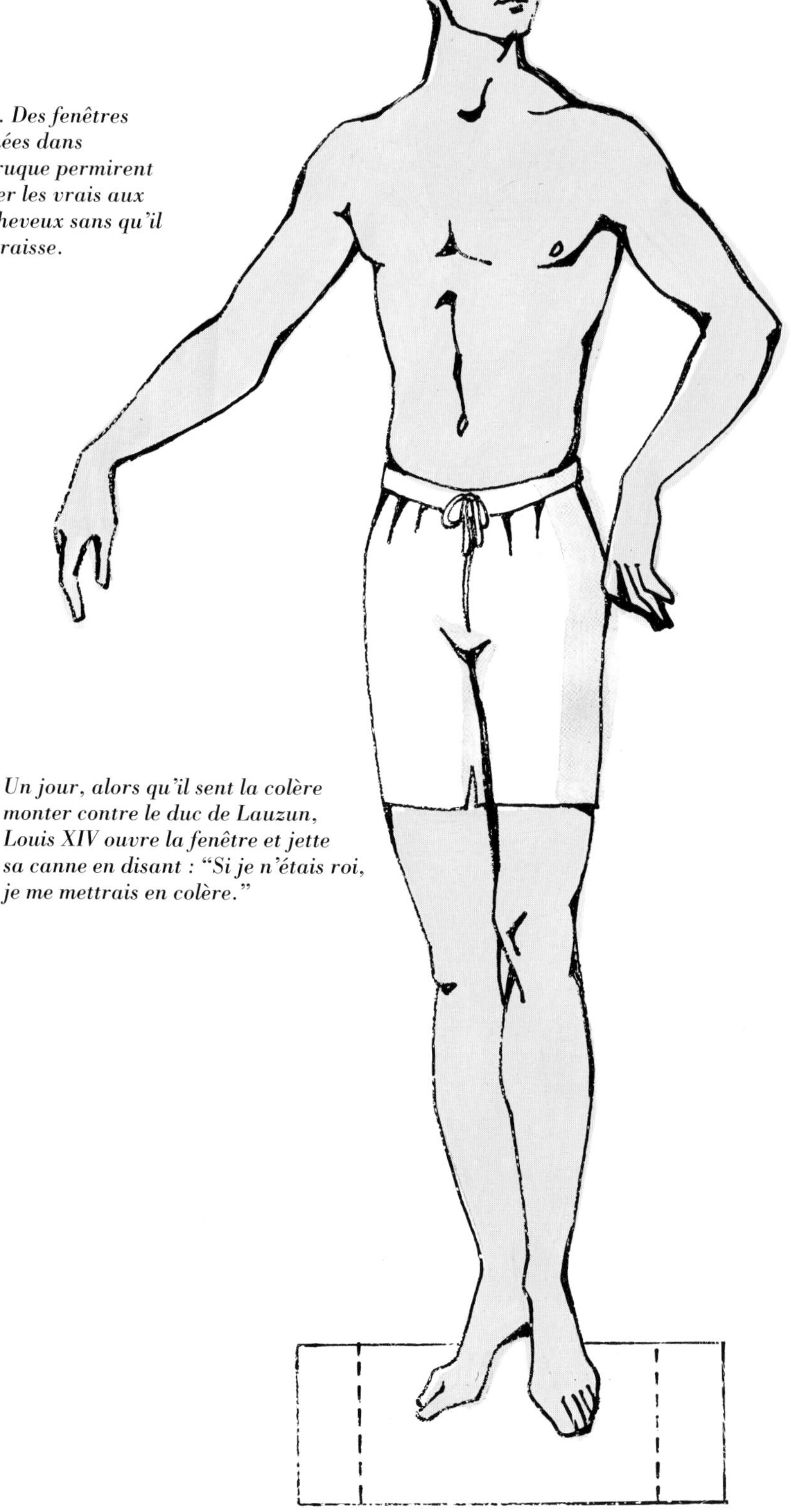

Louis XIV avait de très beaux cheveux, mais à partir de 35 ans, il dut se résoudre à porter la perruque. Néanmoins, il refusa qu'on les lui coupe entièrement. Des fenêtres pratiquées dans la perruque permirent de mêler les vrais aux faux cheveux sans qu'il n'y paraisse.

Les cravates se portèrent d'abord à l'armée car il n'y avait pas de repasseuses pour défroisser les rabats à la mode au début du siècle. Vient du nom des soldats croate ou cravates comme l'on prononçait alors.

Un jour, alors qu'il sent la colère monter contre le duc de Lauzun, Louis XIV ouvre la fenêtre et jette sa canne en disant : "Si je n'étais roi, je me mettrais en colère."

Les gants sont odorants. On les achète chez des gantiers parfumeurs.

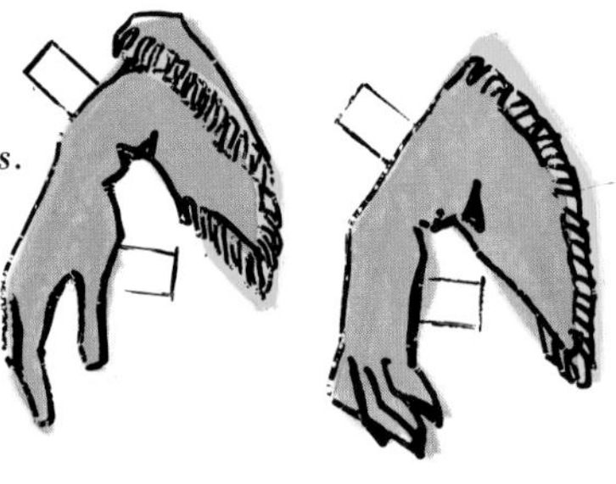

Louis XIV lança la mode des talons rouges. En avoir devint le privilège de la noblesse.

ILLE LE ROI ?

Au début du règne, la mode masculine, encouragée par Louis XIV, change souvent, plus souvent que la mode féminine. On porte rubans, jusqu'à 300 aunes (l'aune = 1,19 m). On porte aussi des bijoux : le 2 décembre 1684, Louis XIV, lors des "appartements", porte pour 12 millions de livres de diamants sur lui.

Les bas étaient en soie pour lutter contre le froid.

On les portait superposés.

Cette culotte s'appelle "rhingrave". À ses débuts, elle était plissée, puis s'assagit pour disparaître vers 1675.

COMMENT DÉSH

Pendant longtemps les femmes ont été habillées par des tailleurs masculins, mais les couturières finirent

À propos du corsage, voici ce qu'écrivait Fitelieu : "Les unes sont nues jusqu'au niveau des épaules, et pour faire montre de leur sein qui publie que la bête est à louer, il faut que la moitié de l'estomac soit ainsi. Les autres se serrent étroitement les mamelles afin de les relever et y passant une certaine sangle qui leur donne bien du mal ... les marques y paraissent quatre jours... Il y a trois ou quatre buscs, le dernier sert pour partager leur sein et faire bondir de temps en temps leur mamelle."*

À la base du corsage était cousu le manteau à queue ouvert porté par deux petits pages. Celui de la reine faisait neuf aulnes (10,70 m). Les petites filles de France en eurent 7 à force d'intrigues. Aussitôt mères et tantes en réclamèrent 9. Alors la reine en eût 11.

La première jupe s'appelle "la modeste".

La deuxième jupe s'appelle "la friponne", est-ce parce qu'on avait peur de la friper ? L'adjectif "friponne", au sens de coquine, est-il né de là ?

* Sorte de baleine.

Le prix du damas est de 20 à 25 livres l'aulne. Madame de Maintenon, qui est loin d'

BILLER LA REINE ?

par se faire reconnaître et tinrent dès lors le haut du pavé. Les plus connues sont Mme Villeneuve et Mme Charpentier.

La coiffure prend beaucoup de temps. En 1671, une dame Martin invente la coiffure "à la hurluberlu". Puis viendra la fontange, du nom d'une des maîtresses de Louis XIV qui, s'étant fait décoiffer par le vent à la chasse, eut l'idée de nouer ses cheveux au-dessus de la tête avec des rubans. Louis XIV ayant eu l'imprudence de la féliciter de l'effet obtenu, la mode dura 30 ans !

Le nœud sur la gorge s'appelle "boute-en-train" ou "tâtez-y".

Conseil : pour ôter le corsage, il faut enlever les épingles situées sous les aisselles. Dessous, il y a des lacets.

Le dernier jupon s'appelle "la secrète", "qui touche du bout du doigt au point du parfait amour". La secrète doit porter la couleur de l'amant.

une frivole paie pour sa belle-sœur une jupe de satin noir et violet en broderie : 330 livres.

QUELLE MOUCHE A PIQUÉ

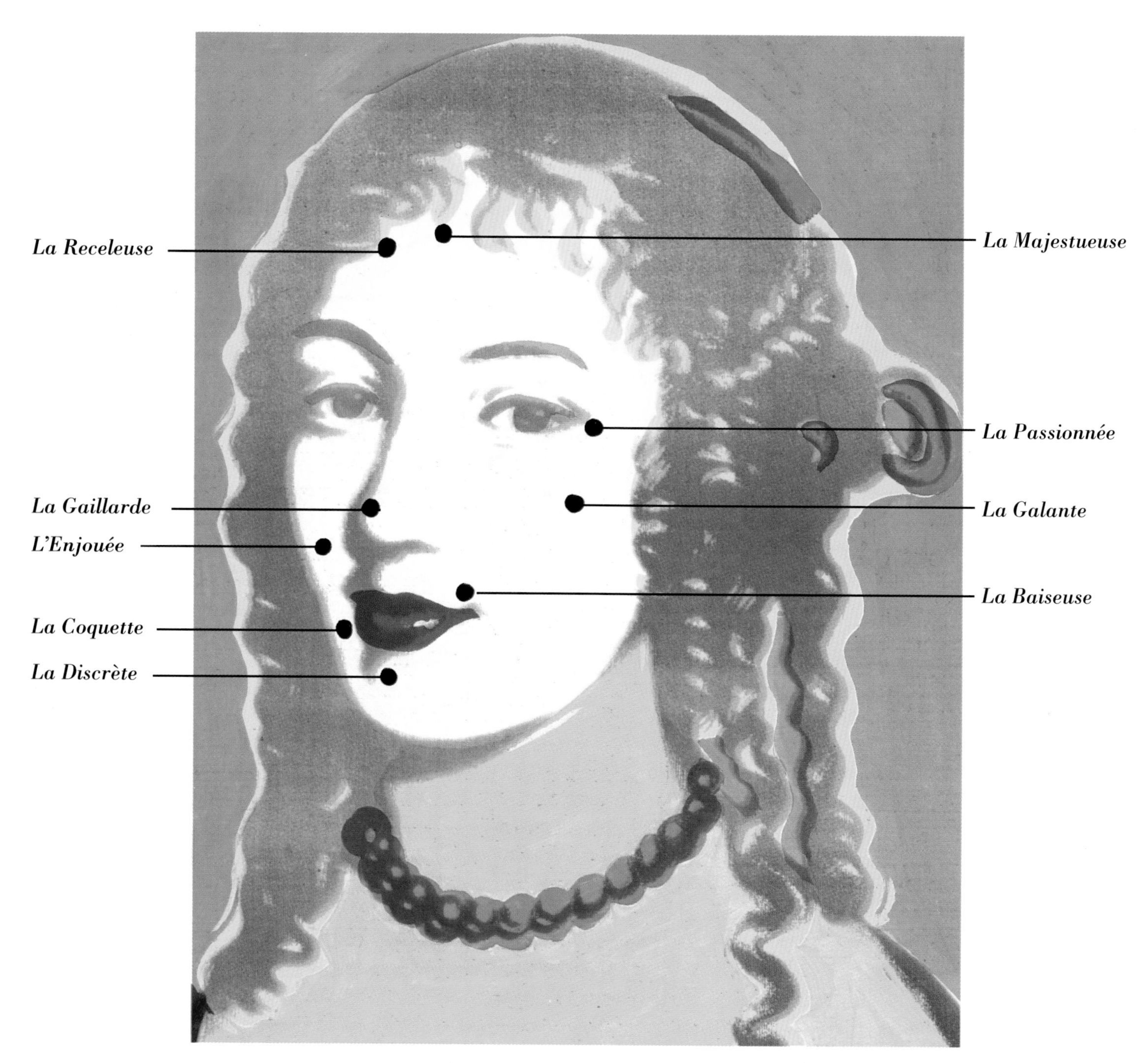

LA MOUCHE EST PARTOUT.
La mouche est un petit morceau de tissu. Elle se colle sur la figure,
elle est généralement ronde comme un confetti, mais on en trouve aussi en demi-lune. Elle fait fureur.
"Portez-en à l'œil, à la tempe
Ayez-en le front chamarré
Et, sans craindre votre curé
Portez-en jusque dans le temple."
(Tallemant des Réaux)
L'emplacement de la mouche n'est pas innocent, il a une signification connue de tous (voir ci-dessus).

MADAME DE SÉVIGNÉ ?

LES VISAGES PÂLES ET LES PEAUX ROUGES SONT À LA COUR.
À la Cour, on se doit d'avoir le teint blanc. À la fin du siècle, on y ajoute du rouge.

"Si les femmes étaient telles qu'elles le deviennent par artifice,
qu'elles aient le visage aussi allumé et aussi plombé qu'elles se le font par le rouge
et la peinture dont elles se fardent, elles seraient inconsolables."
(La Bruyère)

Pas de produits hypo-allergéniques, mais de la céruse, du sublimé,
du rouge d'Espagne, du vinaigre distillé, de l'eau de fleur.

SHOP

Les Stradivarius et les Guarnerius existent déjà, on peut se les procurer... en Italie. Pour apprendre le violon, vous pouvez vous adresser à messieurs Favre, rue St-Honoré ; Le Peintre, à Versailles ; Tonins, rue de la Verrière ; Le Tellier, rue du Foin...

Monsieur Binet, qui fait les perruques du roi, demeure rue des Petits-Champs. Il en fait de si extravagantes que l'expression "une drôle de binette" vient de là. Les perruquiers ont des escouades de coupeurs de cheveux qui sillonnent les provinces pour en acheter ; voire même pour raser les morts. Les plus estimés venaient du Nord. "Je prélèverais toutes les têtes du royaume pour parer celle de Sa Majesté", disait Binet.

Si vous êtes très riche, vous pouvez nous commander un carrosse, mais attention, pas plus de six chevaux. Ceux à huit che

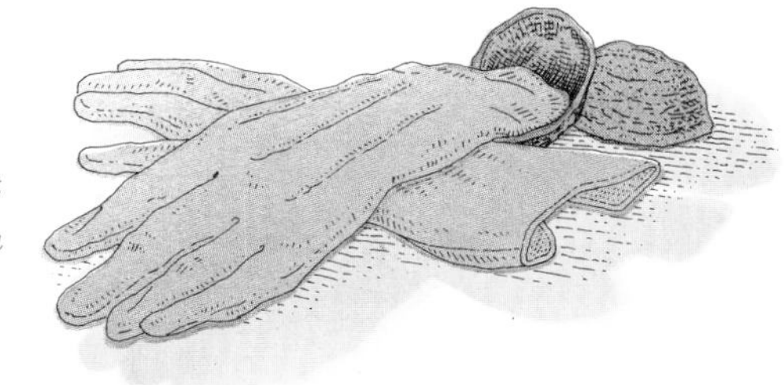

Chez Arsan, près de l'abbaye Saint-Germain, vous trouverez les gants de cuir de poule (on appelle ainsi la peau du chevreau). Ils sont si fins que la paire peut tenir dans une coquille de noix. À noter que, en terme de galanterie, avoir perdu ses gants pour une femme, c'était avoir perdu bien plus que cela...

P I N G

"La demoiselle Guerin, rue du Petit-Bac, fait commerce de petits chiens pour les dames." Ce sont des chiens de chambre ou de manchon. Les plus à la mode sont les chiens de Bologne qu'on frottait, aussitôt nés, d'esprit de vin à toutes les jointures pour les empêcher de grandir. Ils sont recommandés par les traités de civilité pour l'éventualité où la propriétaire lâcherait "un vent" malencontreux. On les accuse alors du méfait.

t réservés au roi. En encombrement, cela fait quand même largement quatre voitures. Alors dans un Paris encore médiéval !

Buvez du champagne mousseux, c'est original. La flûte et le bouchon sont inventés... mais on n'en boit guère, il faudra attendre le Régent et Louis XV pour qu'il connaisse un phénoménal succès. Dom Pérignon est l'exact contemporain de Louis XIV mais, contrairement à la légende, il n'est pas l'inventeur du champagne. Le champagne qui a du succès est le vin rouge, notamment des coteaux d'Ay. Dom Pérignon est cellérier de l'abbaye de Hautvillers et réputé pour son nez.

Vous pouvez vous faire faire votre portrait par Monsieur Girardon "qui demeure au Louvre et est estimé un des plus excellents sculpteurs de l'Europe".

QUI HABITE OÙ ?

"Sa Majesté a voulu que toutes les personnes auxquelles elle donne des appartements soient meublées. Elle fait donner à manger à tout le monde et fait fournir jusqu'au bois et aux bougies dans toutes les chambres, ce qui n'a jamais été pratiqué dans les maisons royales" (Colbert).

"De forts grands seigneurs ne disposent que de deux pièces. Impossible de cuisiner. Les couloirs sentent l'urine" (François Bluche).

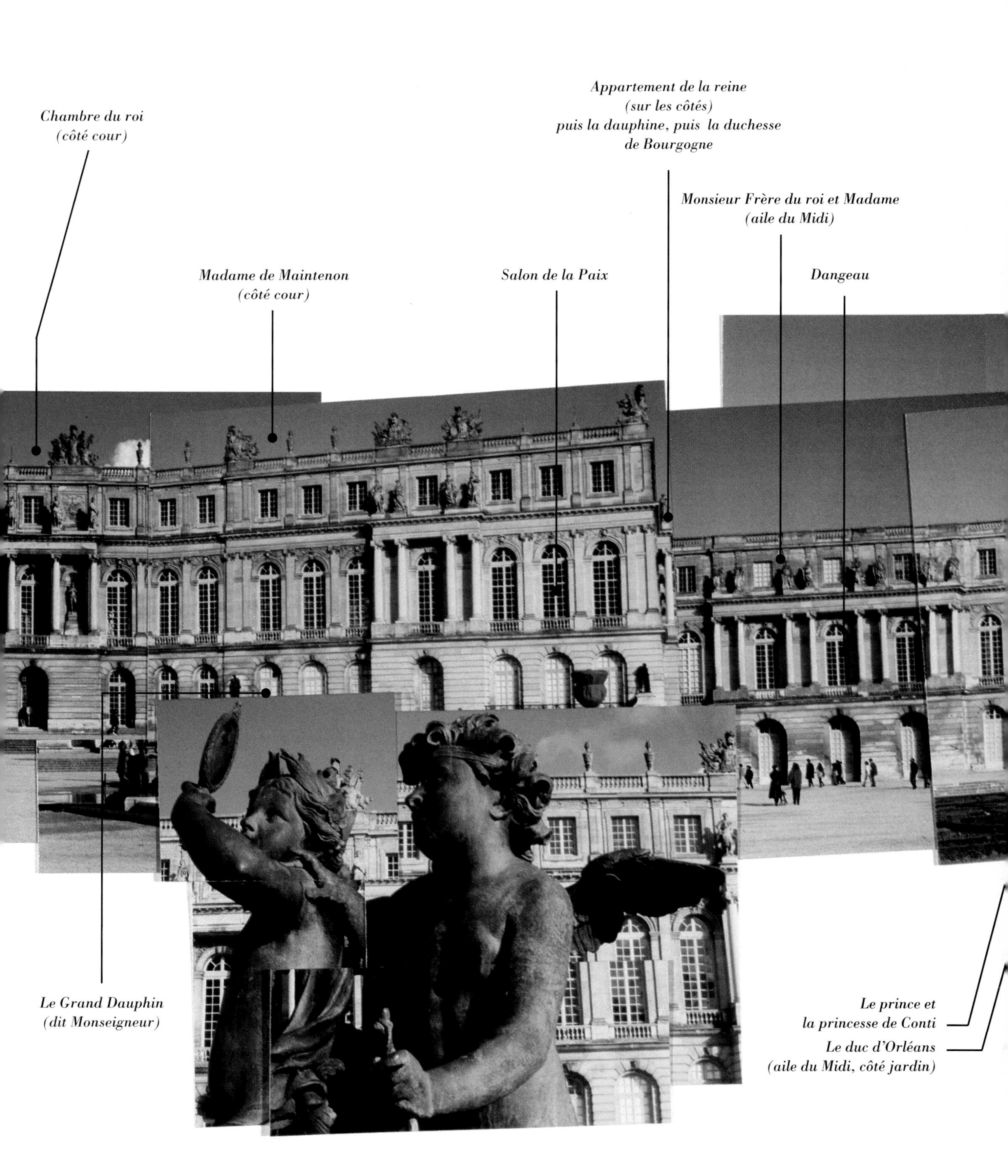

Les mouvements sont incessants. Dès que quelqu'un bouge, cela entraîne, en cascade, une multitude de changements. Deux principes guident ce carrousel : plus on est important, plus on se doit de loger près du roi ; plus on a une fonction précise, plus on doit être proche de l'endroit où l'on doit la remplir. Que survienne une mort et le manège se met en route. Un nouveau venu va occuper la place du défunt en fonction du nouveau rang dans la hiérarchie causé par le décès.

VU À VERSAILLES

"Je voudrais que vous vissiez la Cour ; c'est une vraie confusion d'hommes et de femmes. On laisse entrer partout les personnes connues. Comme la nation est de caractère plutôt léger, c'est un mélange de gens et un bruissement continuel, si bien que le duc de Pastrana me dit un soir : "Mais, Monsieur, ceci est un vrai b... !" (Primi Visconti).

Vu un garde écossais.
Il n'était pas obligé "d'être hibernois de nation". Les ordres des régiments écossais étaient donnés en anglais.

Vu une autruche.
Il y en a dans la "ménagerie". Il faut compter 250 livres l'une. Il y a aussi des gazelles, des dindons (c'est nouveau), des tigres, des ours et même un éléphant.

Vu le duc de Bourgogne.
Petit-fils de Louis XIV, il épousera Marie-Adélaïde de Savoie qui eut le don de ramener un peu de rire dans le Versailles d'un Louis XIV vieilli.

Vu une patineuse.
Les hivers froids n'ont pas manqué. Il y en eut même où le vin gela dans les carafes.

Vu une vache tout étonnée d'être là.
Elle se rend chez les petites princesses pour leur donner du lait. Elle est deux fois plus petite que les vaches actuelles.

Vu un justaucorps à brevet (habit brodé d'or et d'argent).
Au temps de Mademoiselle de La Vallière, Louis XIV en a distribué à ceux de son entourage qui l'accompagnaient de Saint-Germain à Versailles. C'est un honneur extraordinaire que d'en porter un ; un honneur qui ne donne droit à... rien. Quand le marquis de Varde revient à la Cour après vingt ans d'exil, il arbore le justaucorps à brevet de sa jeunesse. Si les couleurs n'ont pas changé, la forme, elle, a beaucoup évolué. Il est donc la risée des courtisans. Il dit alors à Louis XIV : "Sire, quand on est assez misérable pour être éloigné de vous, non seulement on est malheureux, mais on est ridicule."

Vu un garde suisse.
Il fallait qu'il soit suisse et avait, entre autres attributions, celle de veiller que l'on ne jette pas le contenu des pots de chambre par les fenêtres.

Vu des blattes.
Elles sont légion à Versailles.

Vu un confesseur du roi.
On vit un siècle de grande dévotion. Madame de Maintenon est très dévote, le roi sous son influence va le devenir aussi. Tous ses confesseurs ont été des jésuites.

À LA SELLE CO

LOUIS XIV

Si l'on a un "brevet d'affaires", on peut le voir sur sa chaise d'affaires.

Pour un siècle où la médecine croyait que les humeurs trahissaient l'état intérieur, il était important de connaître l'état des selles des uns et des autres. Madame de Sévigné écrit à sa fille, la comtesse de Grignan, en 1679 : "Parlez-moi, je vous prie, de la manière dont s'est passée votre dernière colique ; croyez-vous que ce ne soit pas une chose importante ?"

Tout cela est si naturel que, au moins jusqu'en 1674, Primi Visconti l'atteste, certaines personnes qui ont un "brevet d'affaires", c'est-à-dire qui en ont acheté le droit, peuvent voir Louis XIV sur sa "chaise d'affaires".

"Le roi a passé sa robe de chambre et s'est installé sur sa chaise percée pour se satisfaire. Ne peuvent y être présents que ceux qui ont charge de gentilshommes de la Chambre ou

LOUIS XV
Les mœurs ont changé. Il s'enferme dans son "cabinet d'affaires".

des brevets que l'on paie jusqu'à 60 000 écus et que beaucoup achèteraient pour 100 000. Ainsi, vous pouvez voir quel prix a pour cette nation tout ce qui vient du roi, même les choses les plus répugnantes. Il est vrai que ce roi est fort honnête et qu'il se met en cette posture par cérémonie bien plus que par nécessité" (Primi Visconti).

Il y a un porte-chaise d'affaires qui a acheté sa charge 20 000 livres (dont son fils a la survivance), c'est le sieur Philippe Sennelier. Elle lui permet de toucher 600 livres de gages, mais il n'a point "bouche à la Cour", c'est-à-dire qu'il n'est pas nourri par le roi. Il est "chargé de dissimuler les dernières misères auxquelles la nature nous assujettit". Il y a près de 200 chaises d'affaires réparties dans le château. Mais cela ne suffit pas !

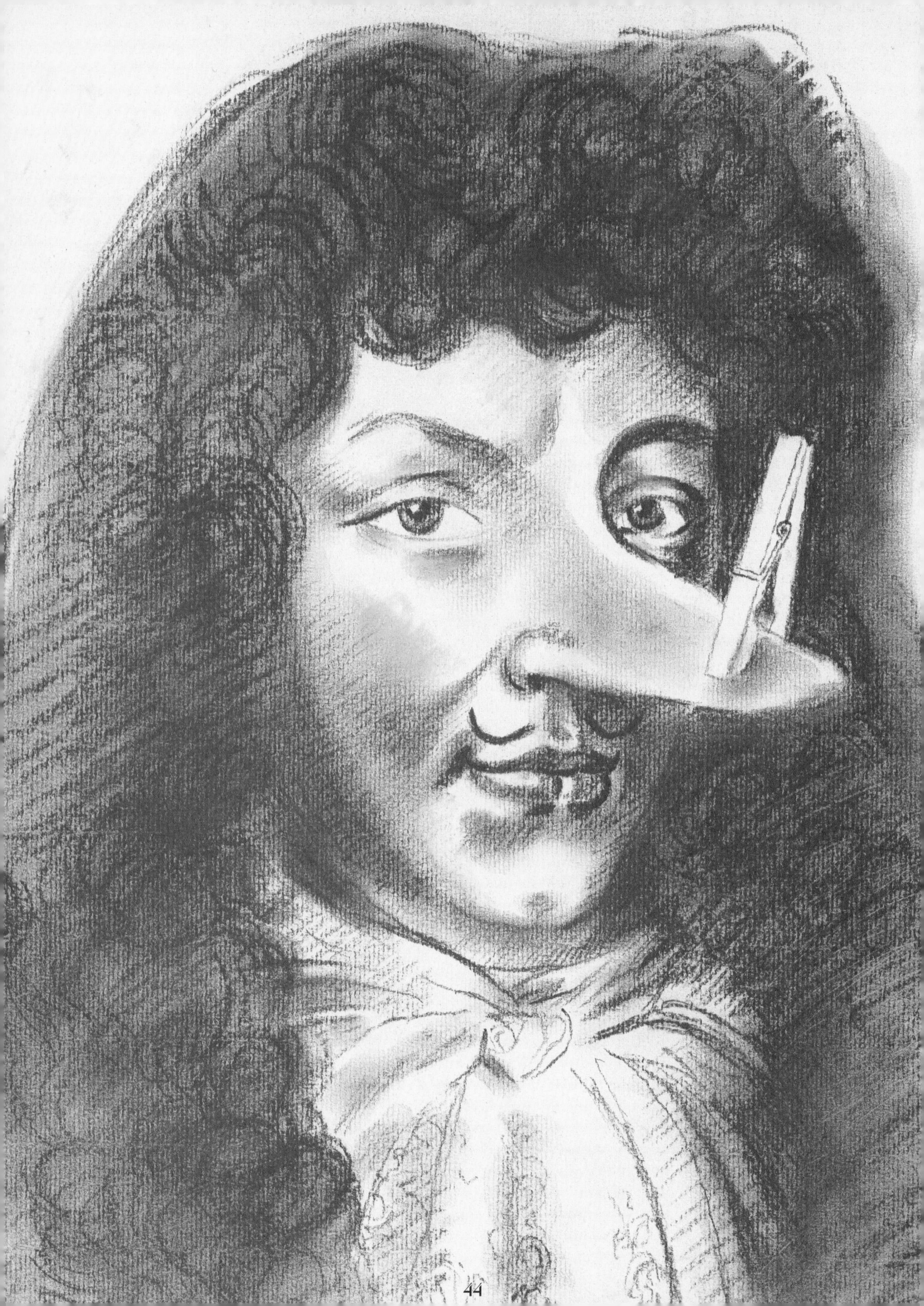

AU SIÈCLE DE CYRANO, PAS BESOIN D'UN GRAND NEZ POUR SENTIR LES ODEURS

Parfum versaillais : entassez des courtisans comme dans le métro, introduisez des cavaliers ayant galopé (ajoutez l'odeur du cheval), amenez quelques chèvres ou vaches jusqu'aux appartements des princesses pour les fournir en lait, laissez uriner ceux qui en ont envie sous les escaliers. Enfin, faites en sorte que personne ne prenne de bain mais parfumez cette crasse de patchouli, de musc, de civette, de tubéreuse... et vous obtiendrez le parfum versaillais.

C'est à peine exagéré. Les odeurs fortes sont partout, alors on parfume tout.
La bouche : les demoiselles "Ont en bouche cannelle et clou,
Afin d'avoir le flairer doux,
Ou du fenouil, que je me mente,
Ou herbe folle comme menthe,
Marjolaine, thym, pouliot,
Fleur de lavande et mélilot".
(Scarron)

Les perruques sont saupoudrées comme bœuf gros-sel de poudre parfumée ! Voici la toilette de la duchesse de Bourbon décrite par Madame de Sévigné. "Rien n'est plus plaisant que d'assister à sa toilette et de la voir se coiffer... Elle se frise et se poudre elle-même ; elle mange en même temps ; les mêmes doigts tiennent alternativement la houppe et le pain au pot, elle mange sa poudre et graisse ses cheveux ; le tout ensemble fait un fort bon déjeuner et une charmante coiffure..." On place des poudres dans les coffres à vêtements ; on en porte sur soi dans des sachets. La poignée de main même est parfumée, car on porte des gants parfumés que l'on se procure chez les gantiers parfumeurs. Des cassolettes remplies d'eau de mille fleurs, des pastilles à brûler, ou bien des parfums diffusés à l'aide de soufflet ou d'aspersoir embaument les appartements.

À odeurs fortes, parfums forts : ambre gris, musc, civette accompagnés de senteurs entêtantes : tubéreuse, iris, jasmin... De bains, il n'en est guère question. La Faculté se méfie de l'eau chaude qu'elle considère comme agent propagateur de maladie. Dans le journal de santé du roi, il n'est mentionné qu'un seul bain... En 1665 ! Louis XIV a fait installer un magnifique appartement de bains, mais se nettoie à l'eau de Cologne et encore... qu'une partie du corps. Lui, qui avait adoré les parfums, qui allait chez Martial voir confectionner les siens, sur la fin de sa vie ne les supporte plus : "Excepté l'odeur de la fleur d'oranger, il n'en pouvait souffrir aucune et il fallait être fort en garde de n'en avoir point, pour peu qu'on eût à l'approcher" (Saint-Simon).

PAS DE CINÉMA, PAS DE TÉLÉ

"Madame, je veux qu'il y ait "appartement" et que vous y dansiez. Nous ne sommes pas comme des particuliers, nous nous devons tout entier au public. Allez et faites la chose de bonne grâce" (Louis XIV à la Dauphine qui ne se sent pas bien).

"Ce qu'on appelait appartement était le concours de toute la Cour, depuis sept heures du soir jusqu'à dix que le roi se mettait à table, dans le grand appartement, depuis un des salons du bout de la grande galerie jusque vers la tribune de la chapelle. D'abord il y avait une musique ; puis des tables, par toutes les pièces toutes prêtes pour toutes sortes de jeux ; un lansquenet où Monseigneur* et Monsieur** jouaient toujours... ; au-delà du billard*** il y avait une pièce destinée aux rafraîchissements, et tout, parfaitement éclairé. Au commencement que cela fut établi, le roi y allait et y jouait quelque temps, mais, dès lors il y avait longtemps qu'il n'y allait plus, mais il voulait qu'on y fût assidu" (Saint-Simon).

Grand amateur de billard***, le roi y a ses partenaires attitrés ; un jour qu'un de ses coups paraît contestable, le roi se tourne vers le duc de Gramont et lui demande ce qu'il en pense :

"Inutile, Sire, Votre Majesté a perdu.

– Comment pouvez-vous décider contre moi avant de savoir ?

– Hé ! Sire, ne voyez-vous pas que, pour peu que la chose ait été seulement douteuse, tous ces messieurs se seraient hâtés de vous donner gain de cause ! "

MAIS DE SACRÉES SOIRÉES !

Ailleurs, on joue aux cartes et on joue gros, ce qui est interdit à Paris mais qui permet ici au roi de tenir la noblesse sous sa coupe, de renflouer certains s'ils perdent et d'en faire ses obligés.

La Princesse Palatine, témoin privilégié, raconte : “L'un hurle, l'autre frappe si fort la table du poing que toute la salle en retentit. Le troisième blasphème, que les cheveux se dressent sur la tête… vous paraissent hors d'eux-mêmes.”

Les appartements ont lieu lundi, mercredi et jeudi soir, de 19 h à 22 h.

“De deux jours l'un, il y avait appartement chez le roi. Les autres jours on avait la comédie, l'opéra ou des mascarades dans le grand appartement auxquels le roi semblait prendre plaisir” (marquis de Sourches).

Mais l'ennui va bientôt gagner, et même Madame de Maintenon écrira : “Avant que d'être à la Cour, je n'avais jamais connu l'ennui, mais j'en ai bien tâté depuis.”

* Monseigneur : le Dauphin, successeur de la Couronne.
** Monsieur : frère du roi.
*** Le billard d'alors (cf. gravure) était différent de ce qu'il est aujourd'hui. La règle en était plus proche du croquet.

MIEUX QUE LA STÉRÉO

Promenades, collations, départ pour la chasse, réceptions, feux d'artifice… tout est prétexte à musique. Sans compter les bals, les ballets et les concerts. Louis XIV joue du luth, du clavecin et de la guitare. Il chante juste et fredonne des morceaux entiers d'opéra (surtout les passages concernant sa gloire note méchamment Saint-Simon). Avant même que la chapelle ne soit terminée, il convoque les musiciens pour y faire donner un motet*, tant il est pressé de connaître l'acoustique du nouvel édifice.

À la Cour, le duc de Chartres, son neveu, futur régent de France, compose. Michel Richard Delalande est le maître de musique des filles du roi, François Couperin celui des fils. Marc Antoine Charpentier dirige la musique religieuse de Monseigneur (fils aîné du roi). Il y a à la Cour trois institutions musicales : celle de la Chambre, celle de l'Écurie et celle de la Chapelle. Aux 24 violons du roi, Lully a ajouté la bande des petits violons. Et il est à même de diriger 90 choristes, les violons et les grands hautbois, trompettes et flûtes des Écuries.

De Lulli à Lully : Gian Battista Lulli est italien. Il vient en France où on le retrouve "garçon de chambre" de

LULLY ET SES VIOLONS

Mademoiselle, cousine du roi. Ses qualités de danseur le propulsent à la Cour où il fait la connaissance du futur Louis XIV qui danse dans les ballets de cour. Il saura vite se rendre indispensable. Amuseur, homme d'esprit, musicien, sa carrière est fulgurante. L'italianisme passant de mode, Lulli devient Lully. Il est partout : surintendant de la musique du roi, directeur de l'Académie royale de musique, compositeur de ballets de cour, auteur à succès de *Atys*, *Alceste* et bien d'autres opéras à la française, genre qu'il invente. Homme d'affaires redoutable, il obtient le privilège de l'Opéra en France. Personne d'autre que lui ne peut disposer de plus de 2 musiciens et chanteurs dans son théâtre. Il réussit aussi à empêcher son ancien associé Molière d'exploiter le genre. On attribue sa mort en 1687 à un coup de canne qu'il se serait donné sur le pied en conduisant un *Te Deum* en l'honneur de la guérison de la fistule de Louis XIV. La plaie s'étant infectée, la gangrène aurait pris.

* Pièce musicale religieuse vocale.

TOUTES NOS

C'est assis sur son trône, au fond de la galerie des Glaces, que Louis XIV reçoit. Ici, les excuses du

EXCUSES, SIRE !

Gênes dont la ville était coupable d'avoir montré de l'hostilité envers la France. Impressionnant !

ENTREZ DANS LA DANSE !

La danse était, avec la pratique des armes et l'équitation, l'une des trois occupations "nobles". On ne dansait à la Cour que deux par deux. Puis du ballet de cour, où la noblesse se met elle-même en scène, on va passer au ballet véritable spectacle où l'on joue un rôle.

Le spectacle, devenant de plus en plus exigeant, fera appel à des professionnels, et la noblesse, d'actrice, va devenir spectatrice (n'est-ce pas ce qui est en train de se passer sur le plan politique ?). Parmi ces danseurs aguerris, il y a Louis XIV. Le jeune Louis XIV que l'on néglige un peu – "on ne lui apprit qu'à danser et à jouer de la guitare" (Voltaire) – va trouver là un moyen d'expression. C'est son unique faire-valoir. Entre 1650 et 1670, il tient 79 rôles. Il rencontre Lully et danse avec lui ; toutes sortes de rôles, même des rôles de femme. En 1670, le roi, qui a alors 32 ans, fait ses "adieux à la scène". Il joue dans *Les Amants magnifiques* de l'inévitable Lully et s'entraîne "à s'en rendre malade" au dire de ses médecins. Il s'arrête à la deuxième représentation.

Il ne dansera plus, la situation est mûre pour l'opéra. Opéra à la française dont Lully est le grand inventeur et dont il obtient le monopole.

Figure principale du Menuet

L'homme deux pas du côté gauche… deux pas en avant et en effaçant l'épaule, un en arrière du côté droit

La demoiselle deux pas de menuet du côté gauche, deux en avant et en effaçant l'épaule, un en arrière du côté droit

CHAPEAU, MODE D'EMPLOI

À la Cour, tout est réglé par l'étiquette : se saluer, manger, être logé, recevoir, être reçu, s'habiller, s'asseoir... Il y a des codes, des préséances. Louis XIV est le premier à les respecter et entend bien que les courtisans fassent de même. Tout le monde s'épie, se jalouse, veille qu'aucun ne s'élève au-dessus de ses prérogatives et cherche à augmenter les siennes.

Pour échapper à cette "mécanique" infernale, le roi a fait construire le château de Marly par Mansart. Là, il peut, quelques jours par semaine, mener une vie plus libre entouré d'une Cour très "allégée". "Marly, Sire ?" soufflent au roi les courtisans qui aspirent à l'honneur suprême d'y être invités.

Louis XIV, qui n'aime pas Saint-Simon, y conviera sa femme mais pas le mémorialiste. Pour un spécialiste de l'étiquette (nous en avons une nouvelle preuve avec l'art d'utiliser son chapeau à la Cour, voir ci-dessous), le camouflet devait sonner durement... mais c'était le prélude à un retour en grâce.

PETITE RÉVISION D'ÉTIQUETTE EN CE QUI CONCERNE LE CHAPEAU.
Le maître est bien entendu Saint-Simon.

DEHORS :

"Jamais il n'a passé la moindre coiffe, sans soulever son chapeau, je dis aux femmes de chambre, et qu'il connaissait pour telles, comme cela arrivait souvent à Marly."
"Aux dames, il ôtait son chapeau tout à fait, mais de plus ou moins loin."
"Aux gens titrés, à demi, et le tenait en l'air ou à son oreille quelques instants plus ou moins marqués."
"Aux seigneurs, mais qui l'étaient, il se contentait de mettre la main au chapeau."
"Il l'ôtait comme aux dames pour les princes du sang."
"S'il abordait des dames, il ne se couvrait qu'après les avoir quittées."

À L'INTÉRIEUR :

"Dans la maison, il n'était jamais couvert."

À L'ARMÉE :

"Aux repas, tout le monde était couvert."
"Le roi seul était découvert."
"On se découvrait quand le roi vous parlait." "Ou pour parler à lui."
"On se contentait de mettre la main au chapeau pour ceux qui venaient faire leur cour le repas commencé et qui étaient de qualité à avoir pu se mettre à table."
"On se découvrait aussi pour parler à Monseigneur* et à Monsieur**, ou quand ils vous parlaient."
"S'il y avait des princes du sang, on mettait seulement la main au chapeau pour leur parler ou s'ils vous parlaient."

À MARLY :

"Le lieu avait encore un privilège, qui n'était pour nul autre, c'est qu'en sortant du château le roi disait tout haut : "Le chapeau, messieurs !" et aussitôt courtisans, officiers des gardes du corps, gens des bâtiments se couvraient tous."

* Monseigneur : le Dauphin au trône, fils aîné de Louis XIV.
** Monsieur : frère du roi .

Menu

Menu à 2 plats, 2 assiettes et 5 services, et les hors-d'œuvre.

Potage
2 chapons vieux pour potage de santé,
4 perdrix aux choux.

— • —

Petit Potage
6 pigeonneaux de volière pour bisque.
2 petits potages hors-d'œuvre :
1 chapon haché pour l'un, 1 perdrix pour l'autre.

— • —

Entrée
1 quartier de veau et une pièce autour, le tout de 20 livres,
12 pigeons pour tourte.

— • —

Petite Entrée
6 poulets fricassés, 3 perdrix au jus,
6 tourtes à la braise, 2 dindons grillés,
3 poulets gras aux truffes.

— • —

Rôt
2 chapons gras, 9 poulets,
9 pigeons, 2 étourneaux,
6 perdrix, 4 tourtes.

— • —

Ajouter 2 bassins de porcelaine remplis de fruits,
2 de confiture sèche
et 4 de compotes ou confitures liquides.

Voici le menu que se fait servir le roi au petit couvert à dîner (c'est-à-dire au déjeuner). Il mange seul sur une table que l'on a dressée dans sa chambre ou une antichambre. Y assistent les grands officiers et princes du sang (cousins du roi). Ils y assistent debout. Seul peut y être convié à s'asseoir Monsieur, frère du roi, ce qui met un peu d'animation, car il est très bavard.

EST SERVIE

À voir le menu, il n'est pas étonnant que les médecins purgent souvent le roi et qu'on lui ait trouvé, à sa mort, un estomac deux fois plus gros que la moyenne.

Certes, il ne mange pas tout : "J'ai vu souvent le roi manger quatre assiettées de soupes diverses, un faisan entier, une perdrix, une grande assiettée de salade, du mouton au jus et à l'ail, deux bonnes tranches de jambon, une assiettée de pâtisserie, et puis encore du fruit" (la Palatine).

"Ses doigts, qu'il trempe dans chaque plat tenant un morceau de pain au bout, lui servaient de fourchette..." (le chevalier de la Grange Chancel).

Il les préfère à l'emploi de la fourchette. Les couteaux pointus d'autrefois ont laissé la place à des couteaux aux bouts arrondis, puisqu'il n'y a plus lieu de piquer les aliments avec la pointe pour se servir ou de les utiliser pour se curer les dents. Il existe des cure-dents pour cela, taillés dans des bois aux vertus astringentes tels que lentisque, bois de rose, cyprès, romarin ou myrte. Les cure-dents sont présentés piqués dans des fruits confits ou sur une assiette garnie de linge fin.

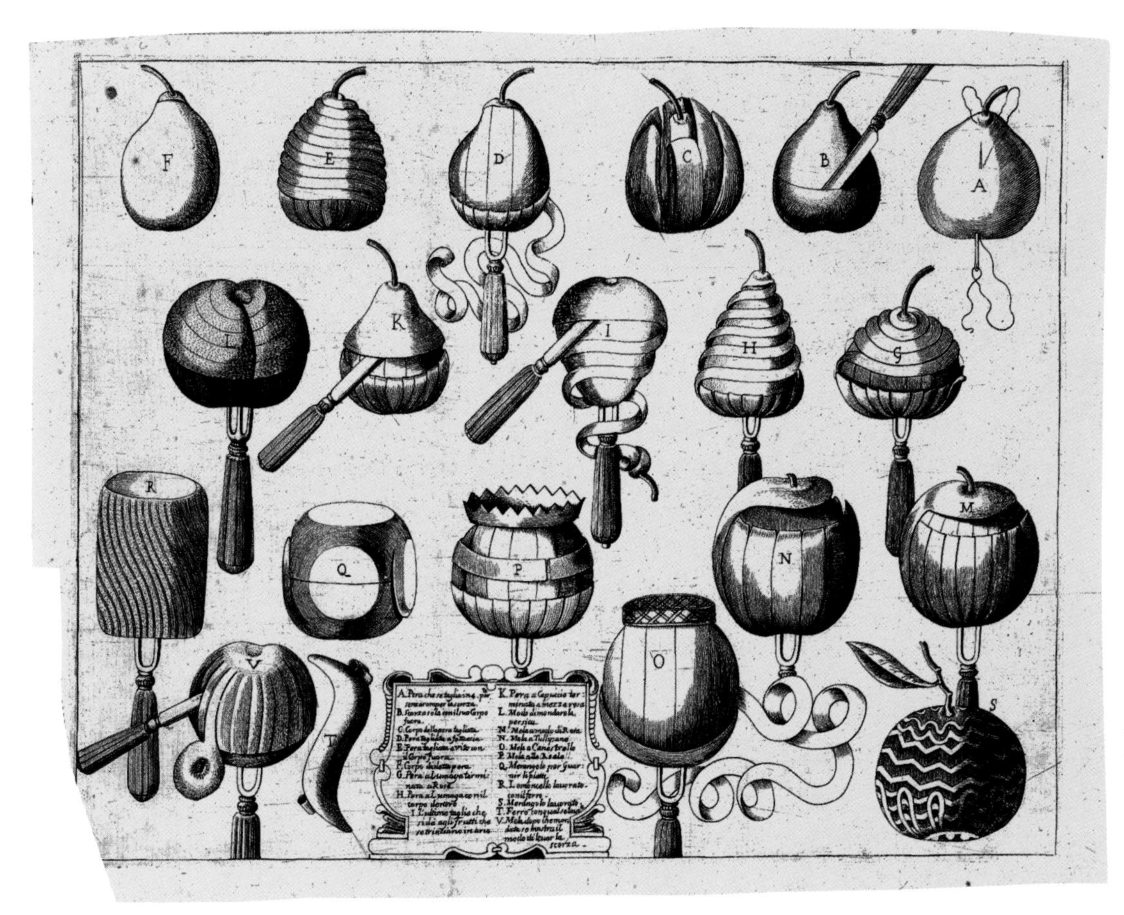

Peler les fruits est un art.

Le dîner était au très grand couvert, c'est-à-dire que le roi mangeait avec "la Maison Royale" (fils et filles de France, petits-fils et petites-filles de France).

Le repas du roi est arrosé de vin toujours coupé d'eau. Au début, il s'agissait de vin de Bourgogne, bientôt remplacé, sur préconisation médicale, par du vin de Champagne rouge. En cette époque marquée par la religion, il y a de nombreux jours de carême. Ces jours-là, la viande est interdite. Par contre légumes et poissons sont autorisés.

Les restes sont revendus par les serdeaux aux portes du château. (À Versailles, on trafique de tout.)

LES RECETTES D

La cuisine abandonne (un peu) les épices. Louis de Béchamel, marquis de Noistel, invente la béchamel. Quant à Louis XIV, il adore les petits pois, les fraises et les figues.

Les Recettes  *du Roi-Soleil*

Jambon aux Clous de Girofle et à la Cannelle

Pour 12 personnes :
1 jambon de 4 kg, 35 clous de girofle,
100 g de sucre en morceaux,
1/2 litre de vin blanc sec, 1 bouquet garni,
1 boîte d'1/4 de glace de viande, 100 g de sucre semoule,
1 cuillère à soupe de cannelle.

Faites dessaler le jambon dans l'eau fraîche pendant une journée et renouvelez l'eau au moins trois fois. Prenez alors une grande cocotte dans laquelle vous placerez le jambon recouvert de vin et d'eau froide, avec le bouquet garni et une vingtaine de grains de poivre. Faites cuire 3 h 1/2.

Retirez du feu et laissez le jambon tiédir dans son eau de cuisson. Enlevez la peau et le gras du jambon et piquez-le de clous de girofle. Avec le sucre en morceaux humecté d'eau, préparez un caramel. Enduisez des 3/4 de ce caramel le jambon que vous aurez posé dans un plat allant au four et placez-le au four préalablement chauffé pendant 20 minutes (thermostat 4/5). Pendant ce temps, préparez la sauce avec le reste de caramel, la glace de viande et une tasse de bouillon dégraissé. Rectifiez l'assaisonnement et ajoutez la cannelle.

Vous servirez accompagné d'une laitue à l'huile d'olive et au citron et parfumée à l'estragon.

Les Recettes  *du Roi-Soleil*

Petits Pois en Fricassée

Pour 4 personnes :
2 kg de pois frais écossés,
75 g de beurre,
100 g de petits oignons blancs finement coupés,
1 petit oignon piqué avec quelques clous de girofle,
1 grand verre de bouillon,
75 g de crème fraîche,
2 cuillères à café de farine,
1/2 cuillère à café d'épices mélangées
(cannelle, girofle, muscade, sel et poivre).

Dans une sauteuse, faites fondre le beurre, ajoutez les oignons coupés et les épices. Faites-les sauter 3 minutes puis ajoutez les petits pois, l'oignon piqué aux clous de girofle. Saupoudrez de farine et arrosez de bouillon, salez, poivrez et ajoutez la crème fraîche.

Laissez sur feu doux jusqu'à ce que les pois soient tendres (environ 25 minutes).

Les Recettes 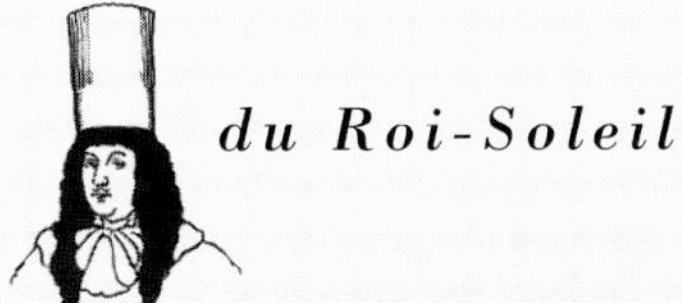 *du Roi-Soleil*

Pain de Veau

Pour 6 personnes :
6 petites escalopes de veau de 50 g,
12 petites tranches de lard fumé,
50 g de lardons,
50 g de graisse de rognons de bœuf coupée en dés,
300 g de veau maigre haché,
100 g de jambon de Paris haché,
200 g de blanc de poulet cru coupé en dés,
300 g de champignons de Paris, 1 gousse d'ail,
2 cuillères à soupe de persil, thym et cerfeuil mélangés,
1 cuillère à café d'épices mêlées (poivre moulu, cannelle, gingembre, clous de girofle et noix de muscade),
50 g de crème fraîche.

Hachez très finement ensemble le veau, les lardons préalablement blanchis, la graisse de rognons, le jambon cuit, le blanc de poulet cru, les champignons, la crème fraîche, les fines herbes, les épices mêlées et la gousse d'ail hachée finement.

Tapissez le fond et les bords d'une terrine allant au four de 8 tranches de lard fumé. Ajoutez dans le fond 3 escalopes bien fines et aplaties, ajoutez la farce, et terminez par le reste d'escalopes de veau et de tranches de lard fumé. Tassez bien. Couvrez et faites cuire au bain-marie à four moyen (thermostat 5/6) pendant une heure et demie.

Servez chaud, bien dégraissé, avec des petits pois.

Les Recettes  *du Roi-Soleil*

Crème de Fraises

Pour 4 personnes :
500 g de fraises,
100 g de sucre en poudre,
600 g de crème fraîche,
6 feuilles de gélatine.

Dans une poêle, faites bouillir à feu très doux la crème et le sucre jusqu'à les réduire de moitié. Écrasez les fraises en purée et ajoutez-les à ce mélange. Délayez la gélatine dans une demi-tasse d'eau froide et ajoutez-la à la crème lorsqu'elle est encore tiède. Passez le tout au travers d'une mousseline dans le compotier de service. Dès que la crème est refroidie, placez-la dans le réfrigérateur jusqu'au moment de servir.

Du temps de Louis XIV, on utilisait de la présure, mais la gélatine la remplace très bien. De même, le réfrigérateur évite d'étuver la crème pour la faire prendre. À cette époque, on plaçait ensuite la crème sur des blocs de glace pour la refroidir.

LE PAIN DES

Il est plus souvent noir que blanc, fait d'un mélange de froment et de seigle, quelquefois d'orge. On le cuit pour la semaine et on le mange rassis. Ainsi, il trempe mieux dans la soupe qui constitue l'essentiel du déjeuner, du dîner et du souper. Soupe dans laquelle peuvent flotter au gré des événements et des fortunes : porc, fèves, haricots et choux. À la campagne pas de laitage car, aux impôts en nature ou corvées à effectuer pour le curé ou le seigneur, s'ajoutent les impôts du roi, eux, payables en argent. Cet argent, on se le procure en vendant au marché poulets, œufs, fromages, beurre, cochon, etc. Boire du vin, voire du cidre, a valeur de promotion sociale mais c'est faire aussi preuve de prudence car l'eau est presque partout polluée.

Un compagnon travaille de douze à seize heures par jour "sans discontinuer que pour prendre une réfection honnête et nécessaire". Il y a de nombreux jours chômés et l'on ne travaille pas le dimanche. On travaille environ 250 jours par an. Dans *Le Savetier et le Financier* de La Fontaine, le savetier, à la question "que gagnez-vous par journée", répond "à chaque jour amène son pain".

"Tantôt plus, tantôt moins ; le mal est que toujours
(Et que sans cela nos gains seraient assez honnêtes),
Le mal est que dans l'an s'entremêlent des jours
Qu'il faut chômer ; on nous ruine en fêtes."

CE QUE COÛTENT LES CHOSES

Un repas dans une gargote (au menu : pain, viande et bière) **5 sous**

Une paire de sabots **4 sous**

Une petite maison (1 cheminée, 2 portes, 2 fenêtres) **200 livres**

Une livre de sucre **14 livres**

Une livre de viande **5 sous**

Un cheval (une bonne maison en compte 14). Son entretien **22 sous/jour**

Bougies. (Compter pour éclairer la table et la chambre d'un hôtel particulier) **30 sous**

Un pichet de vin de qualité moyenne **4 sous** *la pinte (≈ 1 litre)*

Pain, (1 livre et demie) **3 sous**

FRANÇAIS

Pour ce qui est des salaires, ils varient d'une région à l'autre, et il faut parfois inclure des prestations en nature. Les apprentis peuvent être logés, les paysans peuvent être tisserands, les ouvriers laboureurs, etc. Cet équilibre est précaire, et survient une disette (due plus aux étés pluvieux qu'aux hivers féroces) et patatras... le fragile équilibre s'écroule. La crise de 1693-1694 multiplie par 3 à 20 selon les régions le nombre habituel des morts.

Le tableau ci-dessous ne peut être donné qu'à titre indicatif, compte tenu des difficultés pour apprécier le véritable niveau de vie des Français à l'époque. Les disparités régionales et les particularités de chaque métier sont un vrai casse-tête.

1 livre = 1 franc
1 livre = 20 sous
3 livres = 1 écu
10 livres = 1 pistole
24 livres = 1 louis d'or

* Le franc était appelé ainsi, non pas à cause de la tribu, mais parce qu'au XIVe siècle pour rendre "franc", c'est-à-dire libre, Philippe le Bel, il avait fallu payer une rançon en livres.

CE QUE GAGNENT LES FRANÇAIS		
Un compagnon **8 à 20 sous/jour**	*Un ouvrier vigneron* **12 sous/jour**	*Un soldat (pendant les marches, il a 2 livres de pain/jour, 1 livre de viande et 1 pinte de vin)* **5 sous/jour**
Un sergent **10 sous/jour**	*Un sous-lieutenant* **1000 livres/an**	*Un colonel* **6000 livres/an**
*Un aumônier** au service d'une grande maison* **200 livres/an**	*Un cocher** au service d'une grande maison* **100 livres/an**	*Un laquais*** **100 livres/an**

** Ils sont logés et nourris.

OUI, ÇA EXISTAIT

OUI Le tabac : on peut le prendre en poudre pour le nez, le mâcher comme un chewing-gum ou le fumer avec une pipe. Pascal invente la première machine à calculer en 1643. Le chocolat : il nous vient des Aztèques via l'Espagne… et ne se consomme que sous sa forme liquide. Le café : Malebranche, un des grands philosophes du siècle, le préconise… en lavement. Le thé : c'est, de loin, le plus cher des nouveaux produits exotiques.

Les taxis : à Paris il existe des vinaigrettes, chaises à porteur à roues tirées par des enfants. On peut louer des carrosses, rue Saint-Fiacre, et pour aider son père, Pascal a inventé "le carrosse à 5 sols", ancêtre de nos transports en commun ; ses lignes sont régulières.

NON, ÇA N'EXISTAIT PAS

NON Il n'y a pas à Versailles de salle à manger. On dresse la table du roi dans sa chambre ou une antichambre. La montgolfière : premier engin à s'être élevé dans les airs avec des hommes à bord, il fit son apparition à la fin du XVIIIe siècle. La pomme de terre : connue en Amérique et dans beaucoup de pays entourant la France, elle n'y fut introduite comme culture que sous Louis XVI. Parmentier en fut le promoteur. Le système métrique : il fut une des grandes contributions scientifiques de la Révolution française. Au XVIIe siècle poids et mesures pouvaient varier d'une province à l'autre. Le timbre n'existait pas, la tomate, la betterave n'étaient pas cultivées. On découvrit seulement sous Napoléon que la betterave pouvait donner du sucre. Et il n'y a pas de chauffage central, ni de poêle à charbon.

CLYSTERIUM DONARE, POSTEA

Clystère de l'époque à la taille réelle.
Introduit dans l'anus, il permettait de laver
les intestins. Il pouvait contenir thé, café,
rhubarbe, miel, camomille, tamarin...

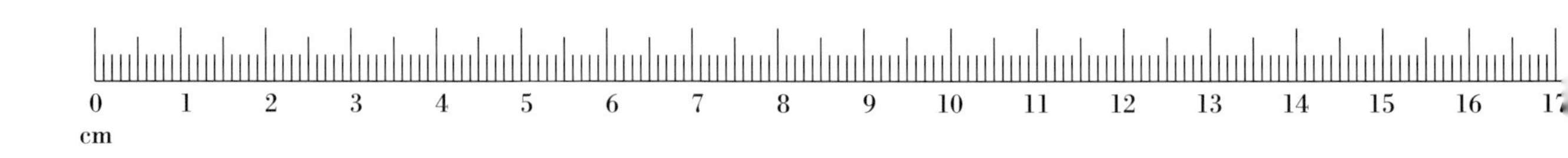

Le 12 avril 1711, Monseigneur, fils de Louis XIV et de la reine Marie-Thérèse, Dauphin de la Couronne, renonce à la chasse, s'alite et meurt le 18 avril. La variole a frappé.

Le 12 février 1712, la duchesse de Bourgogne, un des derniers rayons de soleil de la Cour, femme du deuxième Dauphin, le duc de Bourgogne, s'alite et meurt en soupirant : "Aujourd'hui princesse, demain rien, dans deux jours oubliée".

Son mari, le Dauphin, la suit dans la tombe 8 jours plus tard. Cette fois la rougeole a été plus rapide que la variole.

Le 8 mars 1713 meurt le troisième Dauphin, le duc de Bretagne, suivi du duc d'Alençon (un bébé) et du duc de Berry, frère du duc de Bourgogne.

Et que font les médecins ? "Clysterium donare, postea purgare, ensuita saignare", comme l'écrivait Molière.

À cette époque, le meilleur moyen de survivre était probablement de ne pas tomber malade. Comme on pense que la physiologie provient de l'équilibre des quatre humeurs (sang, bile, flegme et atrabile), on observe avec attention tout ce qui sort du corps pour y trouver la nature de ce qui est vicié. Les médicaments sont constitués à partir des trois règnes : le végétal, le minéral et l'animal. Aussi en confectionne-t-on à base de cantharide, de lézard, de vipère, de grenouille, de sangsue... à moins que ce ne soit à base d'excrétion d'origine humaine : urine, graisse humaine.

Dans le domaine du végétal, en dehors des plantes connues depuis l'Antiquité, apparaissent celles venues des Amériques : thé, café, cacao. Mais le seul médicament efficace découvert alors fut le quinquina qui fait tomber les fièvres.

PURGARE, ENSUITA SAIGNARE

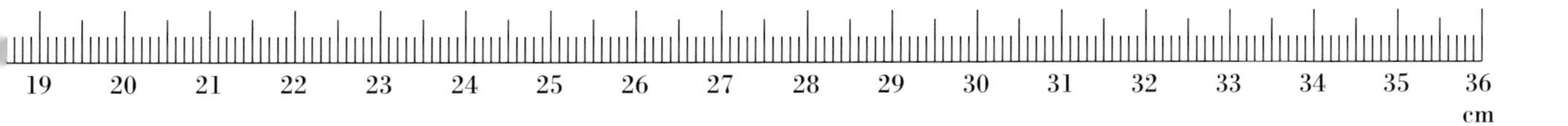

Dans celui du minéral, on croit aux vertus de l'antimoine et du mercure mais, mal dosés, ils font encore plus de ravages que la maladie. Il y a aussi les remèdes de riches à base de poudre d'or ou d'huile d'or.

Mais ce n'est évidemment pas cela qui guérit de la variole. 8 personnes sur 10 l'attrapent et 1 sur 7 en meurt. On estime qu'elle a tué de 6 à 10% de la population du XVIIe siècle.

Si vous échappez à la variole, vous avez une chance d'attraper la peste. Elle a tué près de 5% de la population du siècle : de 2 200 000 à 3 400 000 personnes.

On purge le roi parfois jusqu'à 8 jours de suite "jusqu'à la selle rouge", note la Princesse Palatine. À quelques jours de la mort de Louis XIV, ses médecins se disputent sur le point de savoir s'il a de la fièvre et sont si désemparés qu'ils laissent administrer au roi par "une sorte de charlatan" un médicament de sa confection à base d'animal.

Des progrès*, malgré tout, il y en a. C'est l'époque...

... C'est l'époque où William Harvey écrit *Exercitatio anatomica de motu cordis et sanguinis in animalibus*, c'est-à-dire qu'il découvre la circulation du sang. C'est l'époque aussi où un Hollandais du nom de Van Leeuwenhoek invente le microscope, identifie les bactéries, les fibres musculaires...

Mais pour un Harvey ou un Van Leeuwenhoek, que de Diafoirus ! "Presque tous les hommes meurent de leur remède et non pas de leur maladie", écrit encore Molière qui, pris de malaise sur scène en jouant *Le Malade imaginaire*, mourra peu après.

* Il faudra attendre 1685 et une opération réussie d'une fistule à l'anus royal pour que les chirurgiens soient enfin à égalité avec les médecins.

ON NAÎT BEAUCOUP

MÊME LES ENFANT

Sur les 17 enfants qu'a eus Louis XIV avec la reine Marie-Thérèse, Mademoiselle de La Vallière, Madame de Montespan… 11 sont morts avant 15 ans. Pas étonnant, vu l'inefficacité de la médecine de l'époque : "Ici, aucun enfant n'est en sécurité puisque les médecins ont déjà expédié 5 enfants de la reine dans l'autre monde. Le dernier est mort il y a 3 semaines. Monsieur dit lui-même que 3 des siens furent expédiés de même", écrit Madame Palatine, belle-sœur du roi.
La même parle aussi de ses accouchements : "Lors de mes couches, non seulement les volets de mes fenêtres mais les fenêtres elles-mêmes demeurèrent grandes ouvertes. La France entière vint me voir et l'on jouait au hoca dans ma chambre."

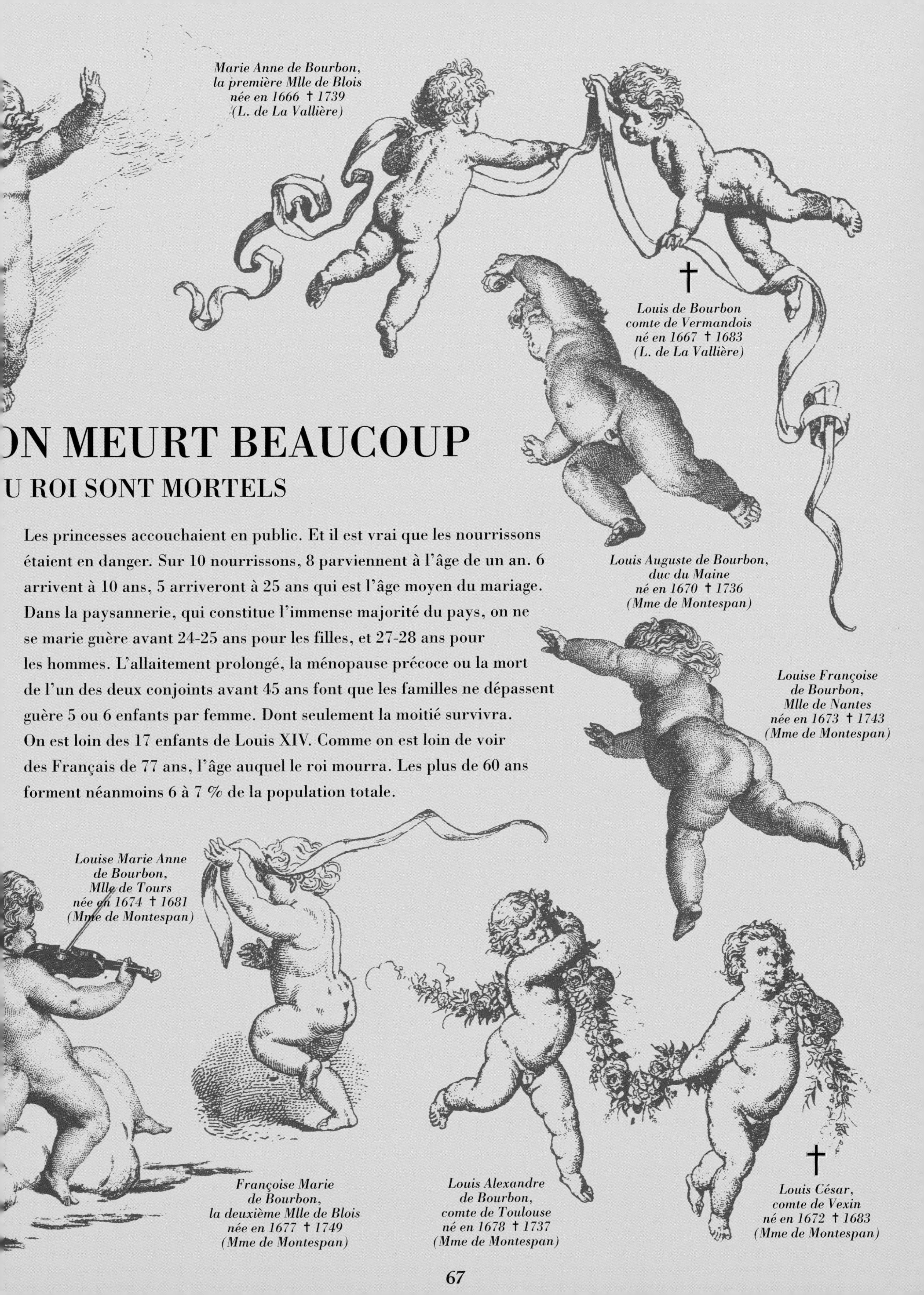

Marie Anne de Bourbon,
la première Mlle de Blois
née en 1666 † 1739
(L. de La Vallière)

Louis de Bourbon
comte de Vermandois
né en 1667 † 1683
(L. de La Vallière)

ON MEURT BEAUCOUP

U ROI SONT MORTELS

Les princesses accouchaient en public. Et il est vrai que les nourrissons étaient en danger. Sur 10 nourrissons, 8 parviennent à l'âge de un an. 6 arrivent à 10 ans, 5 arriveront à 25 ans qui est l'âge moyen du mariage. Dans la paysannerie, qui constitue l'immense majorité du pays, on ne se marie guère avant 24-25 ans pour les filles, et 27-28 ans pour les hommes. L'allaitement prolongé, la ménopause précoce ou la mort de l'un des deux conjoints avant 45 ans font que les familles ne dépassent guère 5 ou 6 enfants par femme. Dont seulement la moitié survivra. On est loin des 17 enfants de Louis XIV. Comme on est loin de voir des Français de 77 ans, l'âge auquel le roi mourra. Les plus de 60 ans forment néanmoins 6 à 7 % de la population totale.

Louis Auguste de Bourbon,
duc du Maine
né en 1670 † 1736
(Mme de Montespan)

Louise Françoise
de Bourbon,
Mlle de Nantes
née en 1673 † 1743
(Mme de Montespan)

Louise Marie Anne
de Bourbon,
Mlle de Tours
née en 1674 † 1681
(Mme de Montespan)

Françoise Marie
de Bourbon,
la deuxième Mlle de Blois
née en 1677 † 1749
(Mme de Montespan)

Louis Alexandre
de Bourbon,
comte de Toulouse
né en 1678 † 1737
(Mme de Montespan)

Louis César,
comte de Vexin
né en 1672 † 1683
(Mme de Montespan)

LOUIS XIV : APOLLON PEUT-ÊTRE, NEPTUNE* CERTAINEMENT PAS !

"Écoutez les fontaines, elles ne savent parler que dix minutes. Mais pendant ces dix minutes, elles racontent un règne plus étrange que celui des insectes et des fleurs..." (Jean Cocteau).

"Rien que pour les aqueducs, il est cause que l'on a mis sous verre du plomb pour plus de sept millions de valeurs et il n'y a pas mine au monde comparable à celle de Versailles" (Primi Visconti).

À Versailles, on compte 1 400 fontaines et, paradoxe, si le lieu est très marécageux, l'eau manque ! Alors on cherche à la capter partout. Les étangs voisins ne suffisent plus.

L'eau, on va la chercher dans la Seine et on construit la gigantesque machine de Marly, sorte de dinosaure conçu par un gentilhomme liégeois, Arnold de Deville, flanqué d'un charpentier de génie du nom de Rennequin-Sualem. Ce tandem va réussir en 1685 à amener l'eau 162 mètres au-dessus de la Seine. Le jour de l'inauguration, Sualem, ulcéré que Deville s'attribue tout le mérite de la construction, va subtiliser une pièce essentielle pour la marche du monstre. Deville est alors obligé de lui demander d'effectuer la mise en route, avouant ainsi que sans Rennequin-Sualem il n'aurait pas pu venir à bout de son entreprise.

DE L'EAU

La machine de Marly.

L'eau, on va tenter d'aller la chercher en la puisant dans le fleuve l'Eure. La distance est d'une trentaine de kilomètres, la dénivellation est de 26 mètres. Le coup semble jouable. Les arcades de Maintenon seront "plus hautes deux fois que les tours de Notre-Dame". Mais battre des records est bon pour la publicité du royaume. Hélas, 8 millions de livres plus tard, des escadrons entiers s'étant échinés, la guerre ayant repris, Louis XIV est contraint d'abandonner le projet.

L'eau, on va la chercher, au début, dans l'étang de Clagny. Une pompe la monte dans une tour qui la déverse dans un réservoir situé au-dessus de la grotte de Thétis.

"L'eau manquait quoi qu'on pût faire, et ces merveilles de l'art en fontaines tarissaient, comme elles font encore à tous moments, malgré la prévoyance de ces mers de réservoirs qui avaient coûté tant de millions à établir et à conduire sur le sable mouvant et sur la fange" (Saint-Simon).

"C'en est fini du rêve d'un Versailles sans cesse animé par des eaux innombrables. Il faut compter, amasser l'eau pour pouvoir la dépenser ; puis l'emmagasiner à nouveau. Pendant un quart de siècle, les promenades du roi dans la magnificence de ses jardins lui rappelleront son échec. Louis XIV fait jouer les eaux pour lui et sa Cour, les fait montrer aux ambassadeurs étrangers, mais ce sera toujours avec parcimonie, avec calcul, selon des horaires ménagés" (Pierre Verlet). Dès qu'Apollon est passé, Neptune coupe les eaux !

* Apollon est le dieu de la lumière, Neptune celui des eaux. Il s'agit ici de Versailles. Sur mer, Louis XIV a disposé d'une marine de toute première qualité.

DE L'EAU...

PAR 2° 7' 50" DE LATITUDE OUEST LA FLOTTE DU ROI CINGLE

Sous Louis XIII, le canal n'existait pas ; à sa place il y avait un marais. On tente de l'assécher. Coup de génie de Le Nôtre : "Sire, je crois ce dessèchement impossible. Si Votre Majesté le permet, je ferai tout le contraire, je rassemblerai les eaux, je les animerai, je les ferai couler et j'en ferai un beau canal."

Ainsi fut fait le Grand Canal, long de 1650 mètres et large de 120 mètres à son extrémité. "L'extrémité qui est la plus éloignée du château a été progressivement élargie afin de rétablir l'effet de perspective que l'on a depuis les fenêtres de la galerie des Glaces", note le chevalier de Ronceau dans une lettre au chevalier de Cernay établi à Québec. C'est ce que quelqu'un a appelé "la perspective ralentie", et c'est encore une idée de Le Nôtre.

Dans la même lettre le chevalier rend compte de l'astuce "publicitaire" de Colbert qui a fait construire des bateaux de guerre miniatures pour les faire naviguer à Versailles : "C'est Monsieur Colbert qui a eu l'idée de réunir ici tous ces navires afin de familiariser le roi et la Cour avec les choses de la mer. Vous qui vivez presque au bord de l'océan, vous ne pouvez pas comprendre l'ignorance dans laquelle sont beaucoup de personnes, et même les plus illustres, de la mer et de la Marine. Le roi lui-même, qui s'enthousiasmait si fort des projets de son ministre, n'est jamais allé que

ET 48° 48' DE LONGITUDE EST VERS LES AUTRUCHES*

deux fois sur la côte… mais puisque le roi allait si peu à la Marine, il fallait bien que la Marine vînt à lui et que l'on puisse voir tous les jours à Versailles le spectacle d'un port de mer."

Autre "coup publicitaire" de Colbert pour stimuler la construction navale et éblouir le peuple et la Cour, le ministre n'hésite pas à mettre en pratique la devise "Impossible n'est pas français". C'est ainsi qu'un beau jour, le marquis de Seignelay, qui secondait son père dans les affaires de la Marine, vint à Marseille pour assister à la construction d'une galère, qui ne dura qu'une seule journée. Huit cents hommes commencèrent le travail à six heures du matin et à six heures du soir, Monsieur de Seignelay faisait à bord du bateau le tour du château d'If.

Circulent sur le Grand Canal un bateau à trois rangs avec des canons miniatures, une réduction de *la Réale*, galère amirale de la Méditerranée, des yachts, des gondoles avec gondoliers offerts par la république de Venise. Tous les marins habitent sur place à "la petite Venise". Pour briguer un poste à Versailles, il faut justifier d'au moins trois campagnes en haute mer. Sur la fin de sa vie, le roi, sensible aux rhumatismes et au mal de mer, ne naviguera plus guère.

* On prend souvent le bateau pour aller de Trianon à la ménagerie en face.

LES SPLENDE

Le Labyrinthe

LE LABYRINTHE : c'était un des bosquets les plus amusants de Le Nôtre. De dédales en dédales, on débouchait sur des pièces de verdure symbolisant chacune une fable d'Ésope et décorée d'une fontaine. Il y en avait 39 ainsi et "il était presque impossible de ne pas s'égarer". Il fut détruit sous Louis XVI pour devenir l'actuel bosquet de la Reine.

L'

LA RAMASSE : petit wagon à sensation qui dévalait la pente de la Ménagerie.

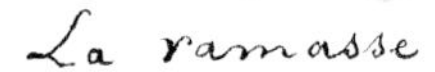

La ramasse

LA GROTTE DE THÉTIS : située à l'emplacement de la chapelle actuelle, son toit servait de réserve d'eau pour alimenter les fontaines des bosquets. À l'intérieur, elle était richement décorée et l'eau qui s'écoulait de ses fontaines actionnait un orgue hydraulique "dont l'harmonie imite le ramage et le gazouillement des oiseaux".

Promenade à la Grotte de Thétis

s Disparues

r des Ambassadeurs

La Ménagerie : a été construite par Le Vau, à l'autre extrémité des bras de la croix du canal. Elle est le pendant du Trianon. Elle accueille une multitude d'oiseaux dont des autruches puis des animaux plus exotiques. Colbert recommande à Perrault* de prendre "soin du crocodile en vie".

La Ménagerie

Louis XIV la fera réaménager pour la femme de son petit-fils, la duchesse de Bourgogne, et donnera des ordres précis : "Il me paraît qu'il y a quelque chose à changer, que les sujets sont trop vieux, qu'il faut qu'il y ait de la jeunesse mêlée dans ce qu'on fera. Vous m'apporterez des dessins quand vous viendrez, ou du moins, des pensées. Il faut de l'enfance répandue partout."

* Claude Perrault, architecte, est le frère de Charles, auteur des *Contes*.

L'Escalier des Ambassadeurs : l'escalier aboutissant au 1er étage à l'entrée des Grands Appartements. Les travaux commencent en 1672, ils s'achèveront en 1680. La décoration est un des chefs-d'œuvre de Le Brun. Il fut détruit en 1750.

Le Trianon de porcelaine : il occupait l'emplacement de l'actuel Grand Trianon. D'après Félibien (auteur du 1er guide de Versailles commandité par le roi lui-même), "ce palais fut regardé d'abord de tout le monde comme un enchantement ; car n'ayant été commencé qu'à la fin de l'hiver, il se trouva fait au printemps, comme s'il fût sorti de terre avec les jardins, qui l'accompagnaient". Il était en grande partie en faïence de Delft bleue et blanche : "Tous les bassins sont ou paraissent en porcelaine." Son usage est réservé essentiellement aux collations et aux soupers. "Il y avait une quantité prodigieuse de fleurs, toutes dans des pots de grès que l'on enterrait dans les plates-bandes de façon à pouvoir les changer tous les jours si l'on voulait, mais encore 2 fois par jour" (duc de Luynes).

Le Trianon de Porcelaine

JEUX D'EAU, JEUX DE FEU, LA FÊTE PEUT DURER 6 JOURS

Demandez le programme de 1674

"On se réjouit à Versailles tous les jours, des plaisirs, des comédies, des musiques, des soupers sur l'eau. On joue tous les jours dans l'appartement" (Madame de Sévigné).

"Les peuples aiment les spectacles. Par là même, nous tenons leur esprit et leur cœur quelquefois plus fortement peut-être que par la récompense et les bienfaits" (Louis XIV).

Du 6 au 13 mai 1664 a lieu dans les jardins la fête des "Plaisirs de l'Île enchantée". "Tournée vers le merveilleux visuel", elle célèbre les amours de Louis XIV et de Louise de La Vallière. Le faste de la fête de Vaux-le-Vicomte est dépassé. Louis est jeune, amoureux, mais il ne perd jamais de vue la politique. La fête est un moyen de retenir la Cour autour de lui, il faut pouvoir dire : "J'y étais." C'est aussi un moyen d'éblouir les autres Cours d'Europe, de les impressionner. Des graveurs : Silvestre, Lepautre, Chauveau ; un écrivain : Félibien, sont chargés d'assumer "le reportage". Sitôt imprimé, il sera diffusé dans l'Europe entière.

Elle permet aussi à des talents de s'exprimer : Lully pour la musique, Molière pour le théâtre, ainsi que Racine, Vigarani pour la mise en scène et les machineries ; même Le Brun, ordonnateur de l'éphémère, crayonne et sait où poser le moindre chandelier.

D'autres divertissements suivront les "Plaisirs de l'Île enchantée". Ainsi le "Grand Divertissement royal" de 1668, puis "les nouveaux divertissements" ou "fêtes champêtres" de 1674 qui célèbre l'annexion de la Flandre (et l'arrivée de Madame de Montespan dans la vie du roi).

1er jour : "Alceste".

2e jour : "Concert"

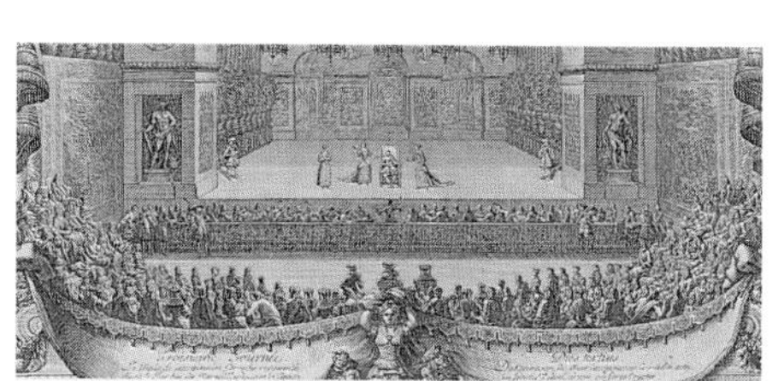

3e jour : "Le Malade imaginaire".

5e jour : feu d'artifice.

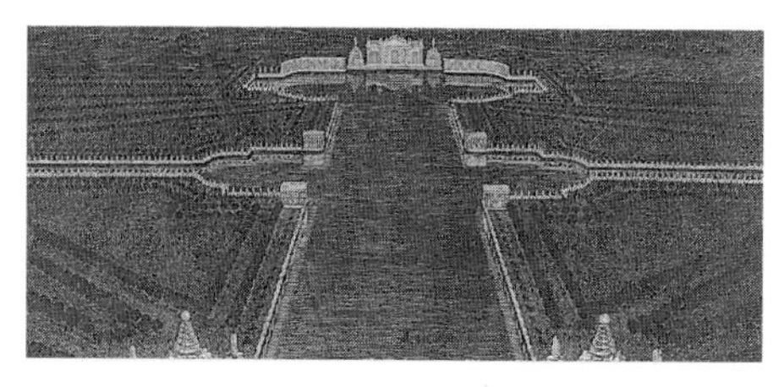

6e jour : illuminations.

Si vous aviez été invités en 1674, vous auriez été parmi les premiers à voir la reprise du *Malade imaginaire* de Molière, *Alceste* de Quinault et Lully, *Iphigénie* de Racine.

Mais dès 1680, Primi Visconti note : "Tous ceux qui viennent en France à présent et qui y ont été il y a vingt ans, restent stupéfaits : il semble que ce ne soit plus la même nation. Alors c'était partout bals, festins, banquets, concerts; les laquais avaient les pistoles aussi facilement que les deniers. À présent, chacun vit retiré, aucune dépense, aucun argent, peu de paroles, peu de gens s'amusent, et encore il faut de la circonspection, particulièrement à la Cour... le royaume paraît un séminaire."

Pourtant, après le traité de Ratisbonne (1685), on semble encore bien s'amuser aux appartements. Pendant le Carnaval, l'appartement de Madame de Montespan fut transformé en foire : "Toutes les boutiques étaient tenues par des masques... la fête fut fort jolie, et fort galante, et le roi y fut assez longtemps." Malgré tout, petit à petit, la Cour s'éteint et ne se rallume plus que par soubresauts. Ainsi en 1710, pour la duchesse de Bourgogne qui remet de la gaieté à Versailles, "le roi veut que tout cet hiver il y ait ici beaucoup de divertissements, que presque tous les jours il y ait comédie ou appartement". Même s'il n'y va pas, note Dangeau. Mais la duchesse de Bourgogne mourra et la mort frappe la Cour : Louis XIV passe ses soirées avec Madame de Maintenon ou avec ses musiciens à qui il demande parfois de se transformer en comédiens pour lui jouer du Molière. Il s'irrite de leur manque de talent comme comédiens. En tant que tels ils sont loin de valoir ceux de Molière. La jeunesse fuit la Cour. La fête est à Paris.

LES BEST-SELLERS NE NOURRI

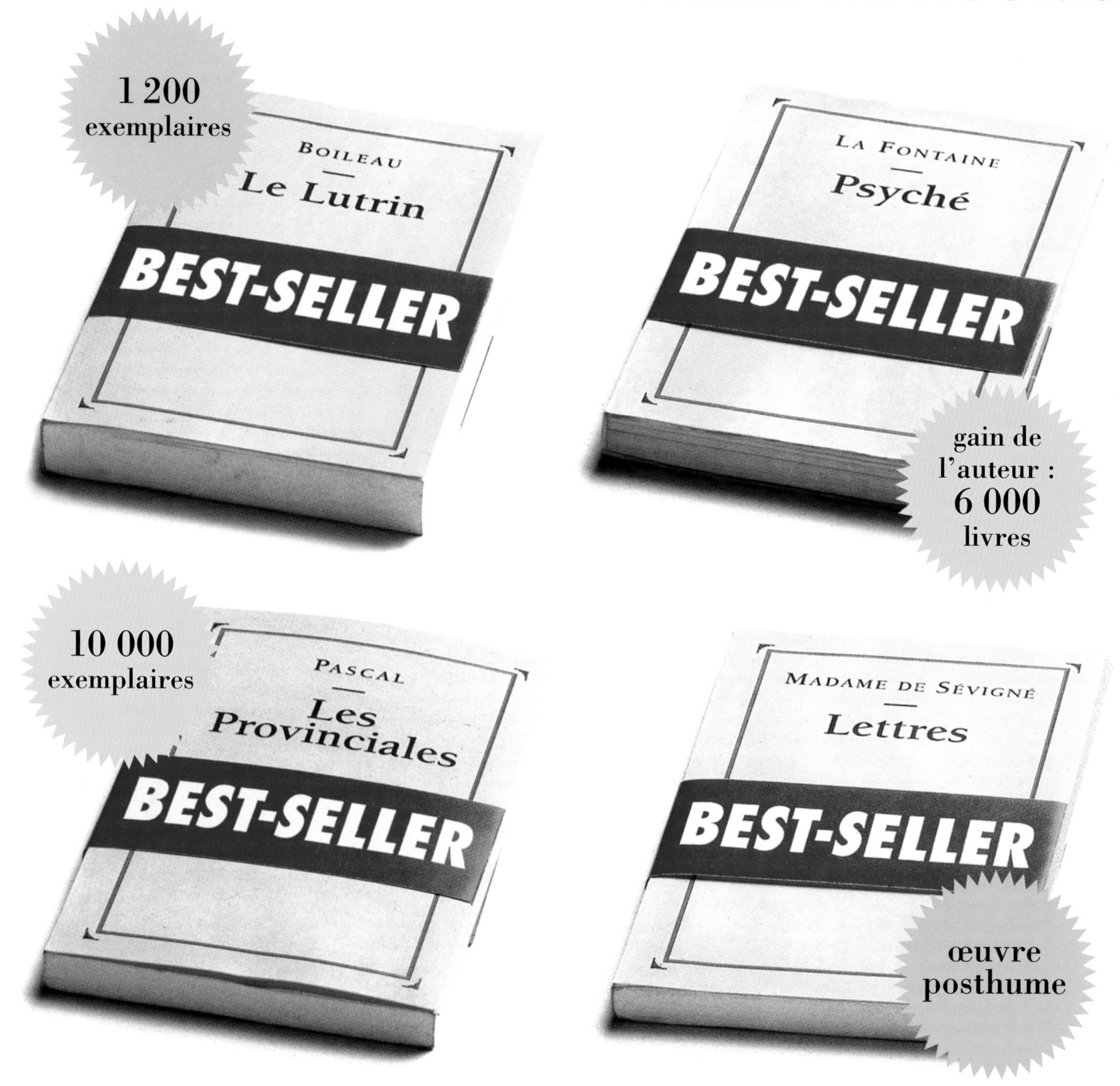

Au début de ce siècle, quand on est écrivain, mieux vaut avoir l'échine souple et la plume facile. Si on l'a trop mordante, l'exercer contre un grand de ce monde peut valoir la bastonnade. Par contre la flatterie peut rapporter plus ou moins gros. Corneille offre *Cinna* à Monsieur de Montauron, riche financier. Il en reçoit 200 pistoles. Mazarin est plus chiche, il n'offre que 50 livres par dédicace. Mais à force d'être exploité, le procédé s'émousse. Par dérision, Scarron dédicace ses œuvres burlesques à sa "chienne Guillemette".

Le meilleur moyen de toucher de l'argent reste celui de la pension. Henri IV pensionnera son historiographe. Richelieu, créateur de l'Académie française, y envoit nombreux de ses protégés qui y sont rétribués. Fouquet, lui, fut un vrai mécène par passion de l'art. Il pensionne Corneille, Scarron, Molière, Perrault, La Fontaine... Colbert perpétuera le système au profit de Louis XIV. Toutes les académies créées à cette époque le sont pour glorifier le roi. "Je vous confie la chose la plus précieuse du monde : ma renommée." Louis XIV ne peut être plus clair. Il en va de même de la Petite Académie, détachée de l'Académie française, et qui se doit de chercher "les moyens de répandre ou de maintenir la gloire de Sa Majesté". De ces gratifications offertes par le roi, on attend en retour quelque gratitude sous forme de poèmes, de vers, d'odes... Ménage, poète de l'époque, refuse sous prétexte que "ces remerciements sentent le poète crotté". Il se voit supprimer sa gratification l'année suivante.

ENT PAS TOUJOURS LEUR HOMME

gain de
l'auteur :
6 000
livres
DESCARTES
Le Discours
de la Méthode
BEST-SELLER
25 000
exemplaires
LA BRUYERE
Les
Caractères
BEST-SELLER

LE HIT-PARADE DES PENSIONNÉS*

Les plus hautes gratifications furent attribuées
à des scientifiques étrangers
pour les attirer en France.
Les mathématiciens Huygens et Cassini
se virent attribuer 9.000 livres.
Voici les comptes des Bâtiments du roi
pour l'année 1685**.

7 janvier-21 octobre :

au Sr Abbé Gallois par gratification en considération de son application aux belles-lettres........................3 000 livres

10 septembre :

au Sr Racine, idem, en considération des ouvrages qu'il compose et qu'il donne au public................. 2 000 livres

au Sr de La Chapelle, idem, en considération de son application aux belles-lettres.... 1 500 livres

au Sr Rainssant, idem .... 1 500 livres

au Sr Charpentier, idem .... 1 500 livres

au Sr Despréaux, idem .... 1 500 livres

au Sr Quinault, en considération de son application aux belles-lettres... 1 500 livres

au Sr Sedilean, élève de ladite Académie, en considération de son application aux mathématiques..................... 500 livres

* En fait, il s'agit de gratifications.
** Cette année-là, ils furent 27 à se partager 46 400 livres.

De 77 500 livres en 1665, les gratifications montent à 100 500 livres en 1671, pour retomber à 40 000 livres en 1688. À partir de 1690, plus rien ! "On satisfera les poètes, quand les maçons seront payés."

Dernier moyen de gagner de l'argent : les droits d'auteur. Ils existent mais ne sont pas liés au chiffre de vente. L'auteur vend son œuvre à l'éditeur une bonne fois pour toutes. Il n'en obtient pas grand-chose. Le tirage moyen est de 1 000 exemplaires. À propos du *Lutrin* de Boileau, voilà ce qu'écrit son éditeur : "Nos succès dépassent toute espérance et je crois que nous pourrons en vendre jusqu'à 1 200 exemplaires." Encore faut-il qu'une édition pirate venue des Provinces Unies ne vienne pas faire une concurrence déloyale à l'éditeur qui en a obtenu le "privilège". C'est dire le triomphe des *Provinciales* de Pascal, œuvre sur la religion*. Elles tirèrent à 6 000 exemplaires et la 17e lettre monta à 10 000 exemplaires. Ne pas connaître l'auteur devait exciter les esprits. En effet elles étaient signées : E. A. A. B. P. A. F. D. E. P. (Et Ancien Ami, Blaise Pascal, Auvergnat, Fils d'Étienne Pascal).

* Presque tous les grands écrivains du siècle ont consacré une part de leur temps à des œuvres spirituelles. Malherbe a mis en vers les psaumes ; La Fontaine, le *Dies Irae* ; Corneille, l'*Invitation de Jésus* ; Racine a composé des cantiques. L'*Introduction à la vie dévote de Saint-François de Salles* est un des plus gros tirage du temps, de même que l'*Imitation de Jésus-Christ*.

LES PIÈCES À L'AFFICHE

Les chefs-d'œuvre ne sont pas toujours des triomphes, et les triomphes ne sont pas toujours des chefs-d'œuvres. *Stratonice* de Quinault fera 146 représentations. *Timocrate* de Thomas Corneille, 80. Jamais Racine ne dépassera 30 représentations. *Esther* et *Athalie* se donneront à huis clos au collège de Saint-Cyr dirigé par Madame de Maintenon. Néanmoins, tous ces auteurs furent appréciés et défendus par le roi. Louis XIV fut le parrain du premier enfant de Molière et le défendit lors de la querelle que suscita son *Tartuffe*. Racine fit une brillante carrière de courtisan. Il fut lecteur du roi, anobli, et eut accès à Marly.

Il y avait à Paris trois théâtres : le théâtre du Marais, l'Hôtel de Bourgogne et celui que Molière partage avec les comédiens italiens (c'est celui qui allait devenir la Comédie-Française). À Versailles, les pièces peuvent se donner dehors, dans la cour de Marbre ; à l'intérieur, au pied de l'escalier des Ambassadeurs. Il n'y a pas de salle de spectacle ; il faudra attendre Louis XV et l'opéra construit par Gabriel pour avoir une salle à la mesure du château.

TITRE	APPRÉCIATION	ILS ONT DIT
ESTHER (Racine)		"On est attentif et on n'a point d'autre peine que celle de voir finir une si aimable pièce." (Madame de Sévigné)
BRITANNICUS (Racine) 8 représentations		"Voilà ce que vous avez fait de mieux." (Boileau)
BÉRÉNICE (Racine)		"Depuis cinq ans entiers, chaque jour je la vois et crois toujours la voir pour la première fois." (Condé, un des grands du royaume)
LES PRÉCIEUSES RIDICULES (Molière)		Ménage (poète) à Chapelain (poète)."Nous approuvions, vous et moi, toutes les sottises qui viennent d'être critiquées si finement et avec tant de bon sens. Croyez-moi, il nous faudra brûler ce que nous avons adoré et adorer ce que nous avons brûlé."
L'ÉCOLE DES FEMMES (Molière)		Compte rendu du *Mercure*, gazette de l'époque. *L'École des femmes* fit rire leurs majestés jusqu'à s'en tenir les côtes".
LE MISANTHROPE (Molière)		La pièce ne fut pas un succès. Elle désoriente. Néanmoins un contemporain écrit :"On rit dans l'âme" mais on préférait rire autrement.
ATTILA (Corneille)		"Après l'Agésilas, Hélas ! Mais après l'Attila, Holà !" (Boileau) Au début du règne, la carrière de Corneille touche à sa fin. Il a déjà produit tous ses chefs-d'œuvre.

 Ils ont adoré

 Couci-couça

 Ils ont détesté

Quinault invente les droits d'auteur. Jusqu'au milieu du siècle, les auteurs vendaient leur pièce aux comédiens. En 1653, Quinault, qui n'avait alors que 18 ans, avait écrit *Les Muses rivales*. N'ayant pu présenter sa pièce aux comédiens, il obtint de Tristan, alors auteur à la mode, de la présenter en la faisant passer pour sienne. Tristan en reçut 100 livres. Les comédiens éventèrent le stratagème et demandèrent à Quinault de rabattre le prix. Quinault accepta de baisser à 50 livres mais en contrepartie remporte 1/9e de la recette. Le système dure encore.

À la 4e représentation du Malade imaginaire, *Molière fut pris de malaise. Il devait mourir peu après.*

LE TOP 50. CE QU

À Paris, le lieu de rendez-vous de la chanson populaire est le Pont-Neuf. C'est là que les badauds viennent écouter les chanteurs ambulants, rire aux plaisanteries des successeurs de Tabarin*, applaudir les jongleurs ou se laisser tenter par le "gentil coquelicot nouveau "!

* Célèbre bateleur sous Louis XIII.

Mon père m'a donné un mari

Le thème de la fille à qui le père a donné un mari sans son consentement n'est-il pas présent aussi dans Molière ?

Au clair de la lune

Pierrot a passé la frontière italienne. On l'a faussement attribuée à Lully.

Auprès de ma blonde

Chanson de marche du régiment de Turenne.

NOUS EN EST RESTÉ

Existait déjà au XVIe siècle. Chanson du folklore normand ou breton.

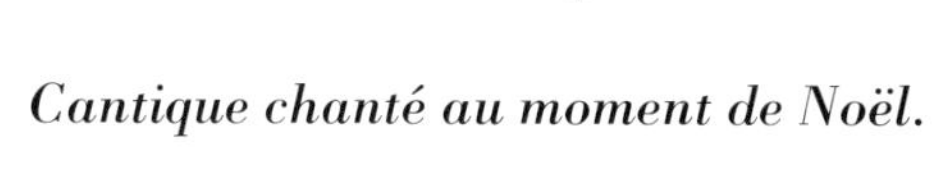

Cantique chanté au moment de Noël.

Pouvait commencer par "Au bord de la Seine".

LE ROI LOUIS XIV EST MORT

1er septembre 1715, 8 h 05, le duc de Bouillon, grand chambellan, met une plume noire à son chapeau, s'avance sur le balcon et crie : "Le roi Louis XIV est mort."

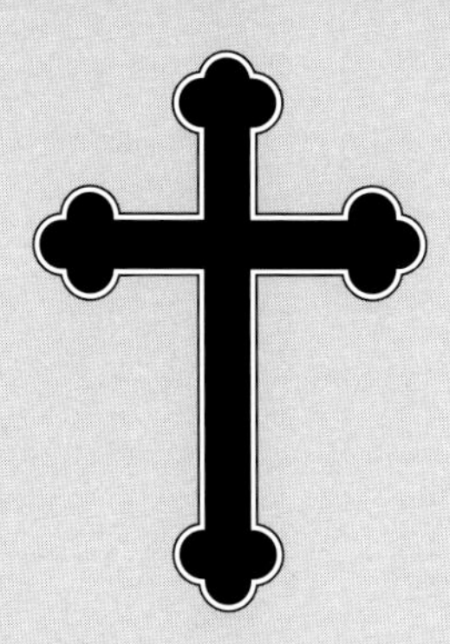

"Quelque grand qu'il ait été dans le cours glorieux d'un règne de 72 ans, il s'est encore fait voir plus grand dans sa mort" (Dangeau).

SES DERNIÈRES PAROLES

Aux dignitaires et aux serviteurs :
"Messieurs, je vous demande pardon du mauvais exemple que je vous ai donné.
Vous m'avez fidèlement servi et avec envie de me plaire.
Je suis fâché de ne vous avoir pas mieux récompensés que j'ai fait."

À Madame de Maintenon, le 25 août :
"Quoi, Madame, vous vous affligez de me voir en état de bientôt mourir ?
N'ai-je pas assez vécu ? M'avez-vous cru immortel ?"

Au futur Louis XV :
"Mon enfant, vous allez être un grand roi.
Ne m'imitez pas dans le goût que j'ai eu pour les bâtiments,
ni dans celui que j'ai eu pour la guerre.
Tâchez de soulager vos peuples,
ce que je suis malheureux pour n'avoir pu faire."

Aux courtisans :
"Je m'en vais, messieurs, mais l'État demeurera toujours."

À Philippe d'Orléans, futur Régent :
"Mon neveu, je vous fais Régent du royaume.
Vous allez voir un roi dans le tombeau et un autre dans le berceau.
Souvenez-vous toujours de la mémoire de l'un et des intérêts de l'autre."

À Madame de Maintenon, le 28 août :
"J'ai toujours ouï-dire qu'il est difficile de mourir.
Pour moi qui suis sur le point de ce moment si redoutable aux hommes,
je ne trouve pas que cela soit difficile."

À l'époque, les reines portaient le deuil en blanc, les rois en violet.

VIVE LE ROI
LOUIS XV

1er septembre 1715, 8 h 06, le duc de Bouillon rentre dans la chambre du roi et reparaît au balcon.
Il a une plume blanche à son chapeau et il crie : "Vive le roi Louis XV !"

Vive le roi Louis XV

Celui que l'on surnomme "Le Bien-Aimé" a alors 5 ans.
C'est Philippe d'Orléans, fils de Monsieur, qui devient le Régent.
Il quitte Versailles, qu'il n'aime guère.
Louis XV reviendra en 1722 et y restera jusqu'en 1774, date de sa mort.
Très respectueux du Versailles de son arrière-grand-père, on lui doit
le Petit Trianon et l'Opéra de Gabriel et l'aménagement des appartements royaux
plus conforme à un style de vie où l'intimité prime.

6 OCTOBRE 1789. APRÈS 100 ANS

PLUS AUCUN ROI N'Y VIVRA JAMAIS

Paris a faim, Paris gronde. Quelques milliers de Parisiens marchent sur Versailles. Ils réussissent à pénétrer dans le château. Le roi, sous la pression populaire, accepte de regagner la capitale. Il part le 6 octobre 1789 avec sa famille. Sa route s'arrêtera le 21 janvier 1793 sur l'échafaud. Entre-temps, en quittant Versailles, il aurait dit à son ministre de la Guerre : "Vous restez le maître ici ; tâchez de me sauver mon pauvre Versailles." Et Versailles sera sauvé. Après la Révolution, les monarques résidèrent aux Tuilleries mais Louis Philippe fit à Versailles un musée dédié aux gloires de la France.

Exécution de Louis XVI, le 21 janvier 1793.

LA COUR QUITTE VERSAILLES

LES MIROIRS DE L'HISTOIRE NE RENVO

1871 : dans la galerie des Glaces, l'Allemagne devient un Empire

Le Second Empire s'achève dans la débâcle. Napoléon III est prisonnier en Allemagne et Guillaume Ier, roi de Prusse, est à Versailles. C'est dans la galerie des Glaces, le 18 janvier 1871, en présence de 600 officiers, qu'il devient Guillaume Ier, empereur d'Allemagne.

1919 : dans la galerie des Glaces, l'Allemagne signe sa reddition

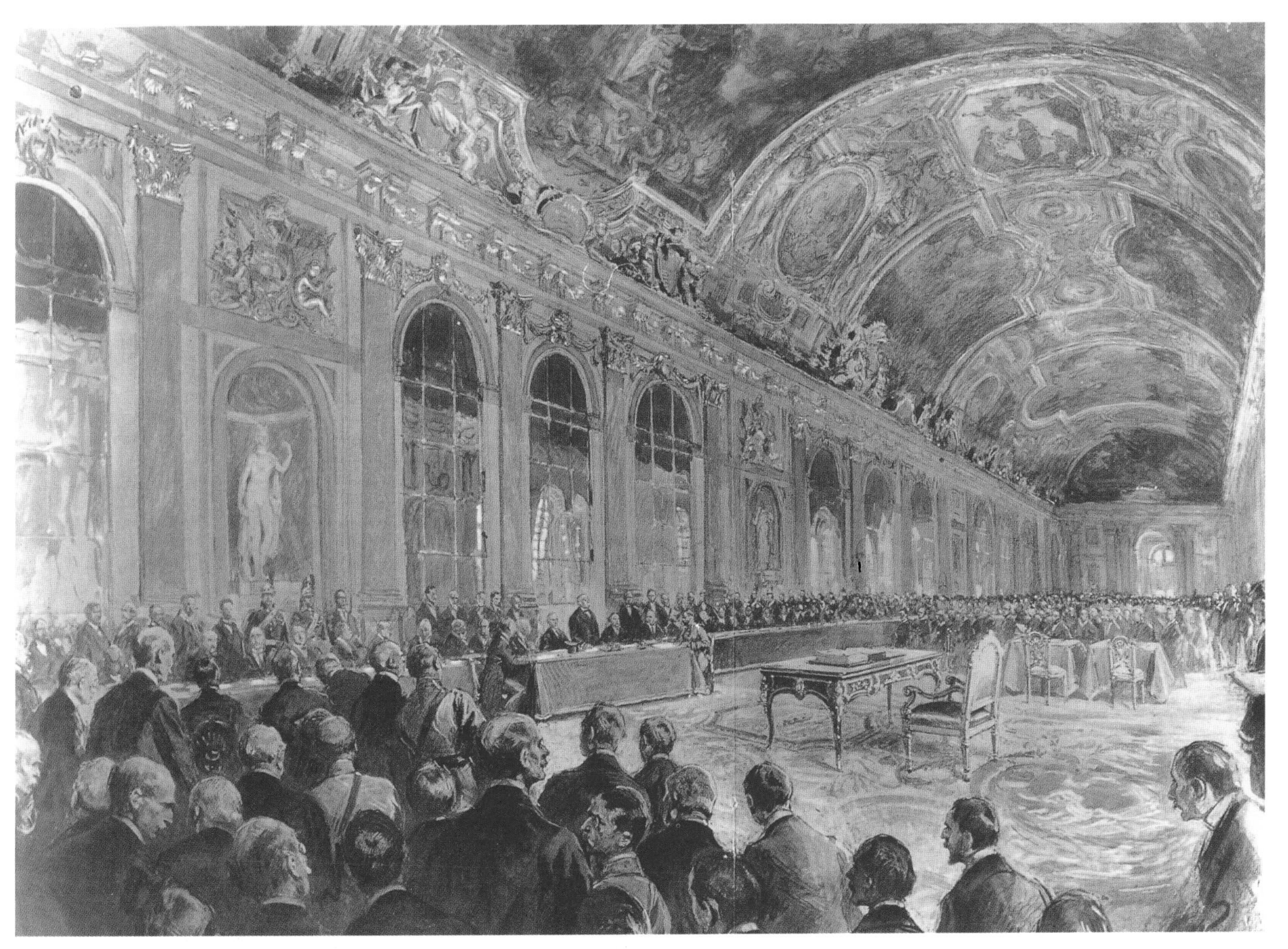

Dans la galerie des Glaces, le 28 juin 1919, le traité de Versailles est ratifié. Côté alliés, par Woodrow Wilson, pour les États-Unis, par Lloyd George pour l'Angleterre et Georges Clemenceau pour la France. L'Allemagne a délégué des civils : le Dr Mueller et le Dr Bell. Le traité sera ratifié par tous les belligérants : l'Italie, la Belgique, la Grèce, la Pologne, le Japon... et même l'Argentine.

PLUS DE 300 ANS APRÈS LE ROI-SOLEIL

VERSAILLES CONTINUE DE RAYONNER

Aujourd'hui, si le château de Versailles est un des monuments les plus visités de France (près de 4 millions de visiteurs par an), il continue à jouer une fonction politique et diplomatique. C'est là que se réunissent, en Congrès, l'Assemblée nationale et le Sénat (le Congrés s'est réuni en 1993). C'est à Versailles également que les chefs d'État français aiment à recevoir les souverains étrangers et à tenir des réunions internationales. Le château des rois sert bien la République.

La Simca "Versailles" : voiture française à la mode dans les années 50.

John et Jacqueline Kennedy à un banquet donné en leur honneur par le général de Gaulle à Versailles, juin 1961.

A Vous seriez-vous perdu dans le labyrinthe de Le Nôtre ?

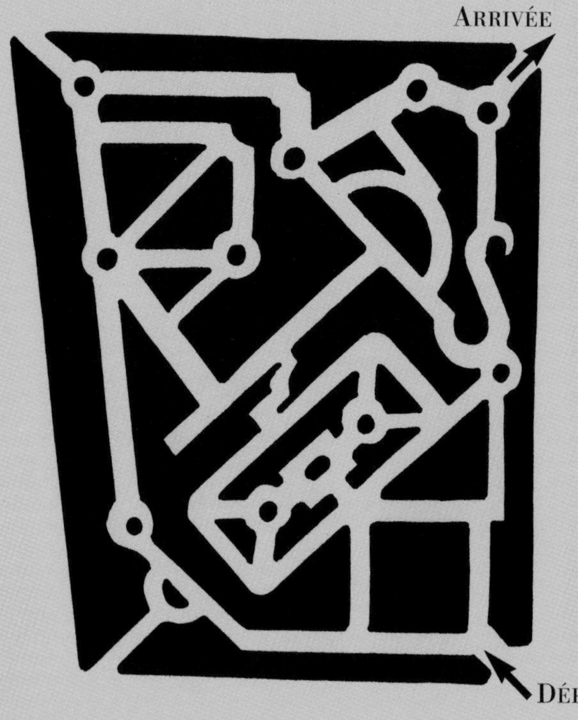

B Auriez-vous retrouvé l'adresse du Sieur Henry ?

C La taille de Louis XIV étant supposée être de 1,62 m, donnez sa taille avec perruque et chaussures.

1,88 m ______________________

1,80 m ______________________

1,72 m ______________________

D Quelle est la différence entre les Petites et les Grandes Écuries ?

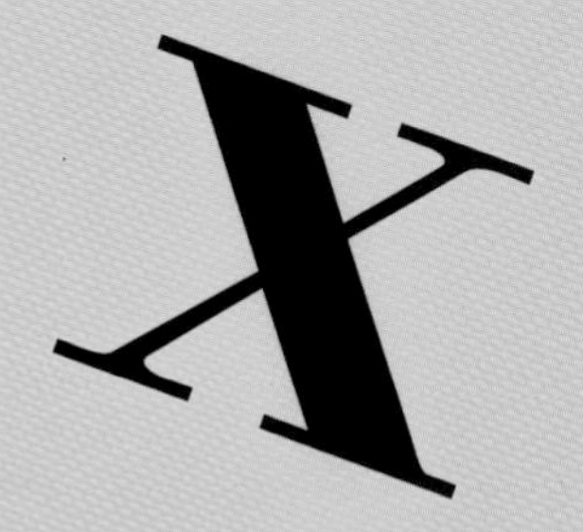

E D'où vient le dindon ?

D'INDE ☐

DU MEXIQUE ☐

D'ITALIE ☐

F Louis XIV parlait-il des langues étrangères ?

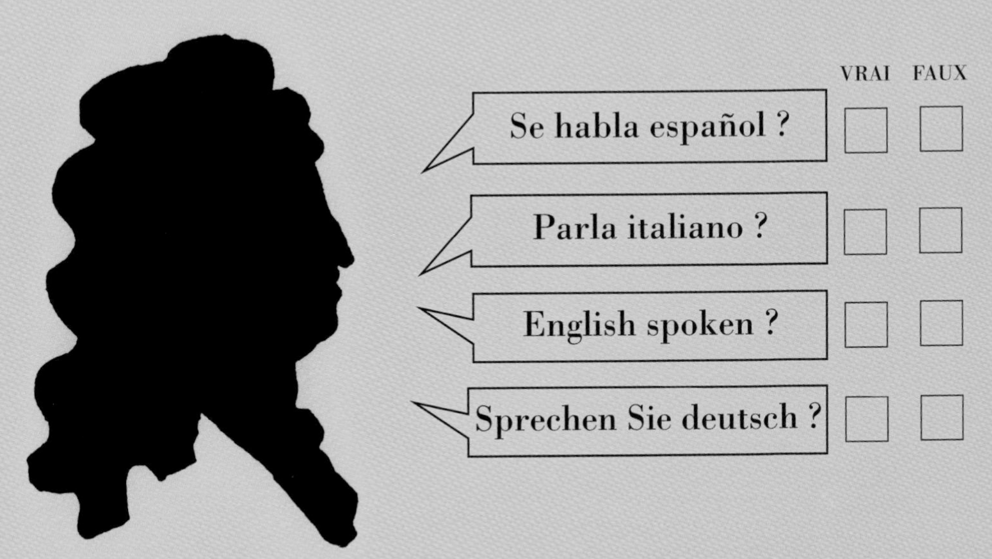

VRAI FAUX
Se habla español ?
Parla italiano ?
English spoken ?
Sprechen Sie deutsch ?

G "Sa Majesté pouvait aussi peu souffrir un mot hors de sa place qu'un soldat hors de son rang" (Benserade).
Tous ces mots étaient utilisés au XVIIe siècle. Donnez leur sens et leur origine.

FRIPONNE Férule Sellette
Rigole BOUSILLER Linceul
RATER LE COCHE Guéridon COUVERT

RÉPONSES

B : Au signe de la Croix-Blanche. **C** : 1,86 m. Les avis de ses contemporains diffèrent. D'après J. Levron sa taille aurait été de 1,62 m mais avec perruque et talons, elle aurait atteint 1,88 m. **D** : Les Grandes Écuries abritaient les chevaux militaires, les Petites, ceux affectés aux déplacements de la Cour. **E** : Il vient du Mexique. **F**: Italien et espagnol. **G** : Sellette : Tabouret sur lequel s'asseyaient les accusés lors des procès. Etre placé sur la sellette, c'est donc être placé en situation inconfortable. Guéridon : Un ébéniste eut l'idée de créer des petites tables basses. Il en orna le haut du pied de figurines à l'effigie d'un petit noir appelé Guéridon. Le nom est resté à ce type de table. Couvert : Ce qui couvrait, pour les garder au chaud, les plats servis à Louis XIV. Désigne désormais les instruments pour prendre les repas. Friponne : Petit jupon placé entre "la modeste" et "la secrète". Rigole : Mot hollandais venu de la construction des digues désignant les petits canaux d'évacuation des eaux. Férule : Baguette en bois dont se servaient les maîtres pour taper sur les doigts des élèves récalcitrants. Linceul : En patois: drap de lin. Par dérivation drap qui recouvre les morts. Rater le coche : Il y avait des coches d'eau et de terre, ancêtres des autobus d'aujourd'hui. Rater le coche, c'était rater l'autobus, c'est devenu manquer une occasion. Bousiller : Construire des maisons en boue. Pauvres masures qui ne résistaient pas longtemps. Bousiller est donc devenu gâcher l'ouvrage.

Saint-Simon (Louis de Rouvroy, duc de) 1675-1755. Filleul de Louis XIV et de la reine Marie-Thérèse. Sert d'abord aux armées comme mousquetaire. Quitte le service en 1702 à la suite de la dissolution de son régiment, ce qui le fait mal voir du roi. Devenu courtisan à plein temps, il ne réussit pas la carrière politique qu'il ambitionne, ni sous Louis XIV, ni par la suite même s'il fut ministre et ambassadeur sous la Régence. On lui doit les mémoires les plus partials mais les plus pénétrants sur la Cour. Ses *Mémoires* parurent après sa mort.

Sévigné (Marie de Rabutin-Chantal, marquise de) 1626-1696. Femme de lettres au sens propre du terme puisqu'on conserve d'elle 1 120 lettres. Veuve à 26 ans d'un mari tué en duel, mère de deux enfants (Françoise-Marguerite et Charles), cette ravissante et brillante jeune femme fréquente l'élite intellectuelle de son temps. Sa fille s'étant mariée au comte de Grignan, lieutenant général de Provence, cet éloignement nous vaut un courrier d'une grande abondance, dans un style éblouissant. Sa correspondance ne paraîtra que longtemps après sa mort.

JE LES REMERCIE DE M'AVOI

Racine (Jean) 1639-1699. Dramaturge et poète. Orphelin, il fut confié à l'abbaye de Port-Royal, fief des jansénistes avec lesquels il se brouillera, puis se réconciliera. Son ascension sociale fut prodigieuse, autant due à ses talents de dramaturge que de courtisan. Comme dramaturge, on lui doit nombre de chefs-d'œuvre du théâtre français comme *Andromaque, Bérénice, Britannicus, Bajazet, Mithridate, Iphigénie, Phèdre, Esther, Athalie.* Il fut anobli par Louis XIV. Comme courtisan, on lui doit cette réplique que lui aurait fait Louis XIV à la suite d'un de ses discours : "Je vous aurais plus loué si vous m'aviez moins loué."

Primi Visconti (Jean-Baptiste) 1648-1713. Mémorialiste, né en Italie, cet esprit curieux voyage dans toute l'Europe. Il arrive à Paris en 1673 et y reste 10 ans. Son don de susciter les confidences lui vaut quelques déboires : il écrit une histoire de la guerre de Hollande si bien informée qu'on l'accuse d'espionnage ; il rentre dans son pays en 1683. Observateur, plein d'humour, il sait souvent voir au-delà des apparences.

Boileau-Despréaux (1636-1711). Poète. Protégé par Madame de Montespan. Historiographe du roi avec son ami Racine. Élu à l'Académie française. Publie : *l'Art poétique*, *Le Lutrin*, *Les Satires*. Polémiste redoutable.

Madame Palatine (Élisabeth, Charlotte de Bavière, fille de l'électeur Palatin duchesse d'Orléans), seconde épouse de Monsieur, (frère du roi) 1652-1722. Belle-sœur de Louis XIV. Épouse pas très heureuse d'un époux pas très porté sur les femmes, elle s'isole très vite et inonde l'Europe de lettres (au moins 60 000). Son Versailles au jour le jour est incomparable.

Sourches (Louis-François du Bouchet, marquis de) 1639-1716. Mémorialiste. Ses mémoires débutent le 25 septembre 1681 et s'achèvent le 31 décembre 1712. Il sait se montrer critique, sans être partial. Grand pourvoyeur d'informations sur la société et la sensibilité de l'époque.

ACCORDÉ UNE INTERVIEW

Molière (Jean-Baptiste Poquelin, dit) 1622-1673. Né à Paris en 1622, mort en 1673. Un des plus grands auteurs de comédie de tous les temps. Il fit son apprentissage pendant 12 ans en province comme comédien, auteur, directeur de troupe. De retour à Paris, il connaît à partir de 1661 un immense succès. Il produit chef-d'œuvre sur chef d'œuvre : *Tartuffe*, *Dom Juan*, *l'Avare*, *LeBourgeois gentilhomme*, *Le Misanthrope*. La fin de sa vie fut assombrie par la mort de son fils, d'Armande Béjart, son amie de toujours, la maladie et les difficultés matérielles, car Louis XIV semble lui préférer Lully auquel il donne le privilège de l'Opéra en France. Il meurt peu après la 4e représentation du *Malade imaginaire* et ne peut être enterré religieusement (et de nuit) que sur l'intervention du roi auprès de l'archevêché.

Dangeau (Philippe de Courcillon, marquis de) 1638-1720. Courtisan, mémorialiste et académicien. Son *Journal* va de 1684 à 1720. Commence par une carrière militaire. Maître de camp au régiment de Louis XIV, cela le rapproche du roi qui apprécie sa culture, sa sociabilité et son talent d'organisateur. Il est, entre autres, organisateur des fêtes de Versailles. Son *Journal* fut édité en 1854. C'est le plus précis car il s'astreignait à écrire chaque soir, sans chercher d'effets littéraires.

CHRONOLOGI

1638 - Naissance de Louis XIV. Le Japon se ferme aux étrangers. Les Français prennent possession de La Réunion.
1639 - Les Anglais fondent Madras. La France acquiert les droit de l'empereur en Alsace.
1640 - Le Portugal se soulève contre l'Espagne.
1641 - Mort de Van Dyck. Les Anglais cèdent Malacca aux Hollandais.
1642 - Mort de Richelieu. Début de la guerre civile en Angleterre.
Tasman découvre la Tasmanie et la Nouvelle-Zélande.
1643 - Mort de Louis XIII. Les Français battent les Espagnols à Rocroi.
Le dalaï-lama construit le palais de Potala. Mort de Monteverdi.
1644 - Cromwell écrase les royalistes à Marston Moor. Mort du dernier Ming.
1645 - L'archevêque de Canterbury est exécuté.
Cromwell écrase les troupes de Charles Ier.
1646 - Charles Ier est livré au Parlement.
1647 - Mort de Kobori Eusha, maître de la cérémonie
du thé. 1ère prédication de Fox, fondateur des Quakers.
1648 - Fin de la guerre de Trente Ans : traités de Westphalie.
1649 - Charles Ier exécuté.
1650 - Mort de Descartes. Construction du Fort Rouge à Agra.
1651 - *Le Léviathan* de Hobbes.
1652 - Fin de la Fronde. Jan Van Riebeck fonde
le Cap de Bonne Espérance.
1653 - Fouquet surintendant des Finances,
Cromwell, Lord Protecteur.
1654 - Paix de Westminster entre Anglais et
Hollandais. Louis XIV sacré roi à Reims.
1655 - Les Suédois envahissent la Pologne.
Les Hollandais occupent Java.
Les Espagnols cèdent la Jamaïque aux Anglais.
1656 - Velasquez peint *Les Ménines*.
1657 - La Prusse est envahie par les Suédois.
1658 - Mort de Cromwell.
1659 - Paix des Pyrénées entre l'Espagne et la France.
1660 - Louis XIV épouse Marie-Thérèse, fille
de Philippe IV d'Espagne.
Restauration de la monarchie en Angleterre.
1661 - Mort de Mazarin.
1662 - Mort de Pascal.
1663 - La Bruyère à l'Académie française.
1664 - Mort de Zurbaran. *Tartuffe* de Molière.
Les Turcs repoussés, à Saint-Gothard.
1665 - Mort de Philippe IV d'Espagne. Mort de Poussin à Rome.
1666 - Un incendie détruit la City.
1667 - Début de la guerre de Dévolution.
1668 - Paix d'Aix-la-Chapelle. Paix de l'Église.
1671 - Première mesure précise du méridien.
1672 - Johan et Cornelis de Witt assassinés. Début de la guerre de Hollande.
1673 - Mort de Molière. Joliet et le père Marquette descendent le Mississippi.
1674 - Jean Sobieski élu roi de Pologne. François Martin fonde Pondichéry.
1675 - Mort de Vermeer et de Turenne. Naissance de Saint-Simon.
Les Prussiens vainqueurs des Suédois.
1676 - Libéral Bruant achève les Invalides.
1677 - Les Français à Gorée.
1678 - Apparition des chrysanthèmes venus du Japon en Hollande.

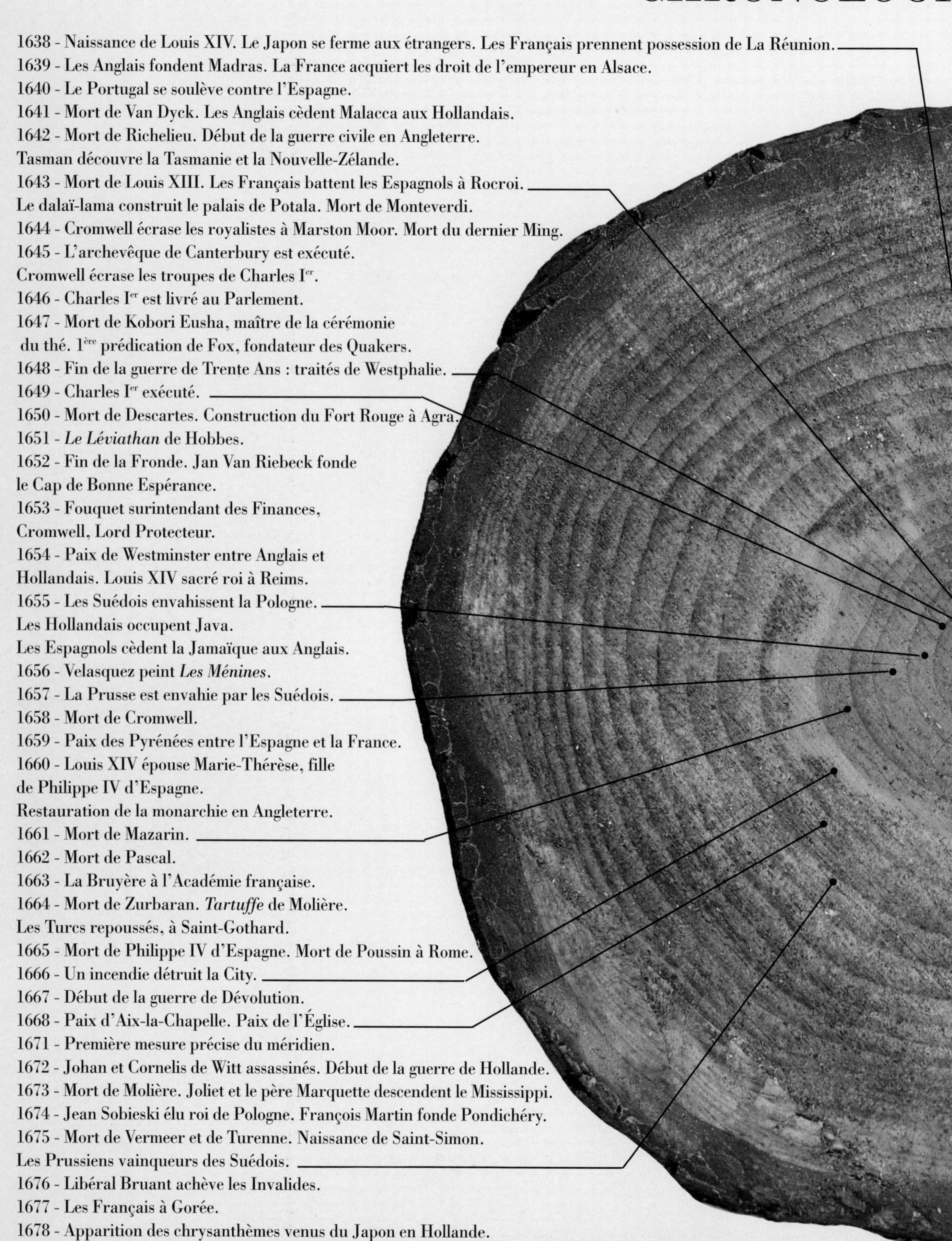

DU SIÈCLE

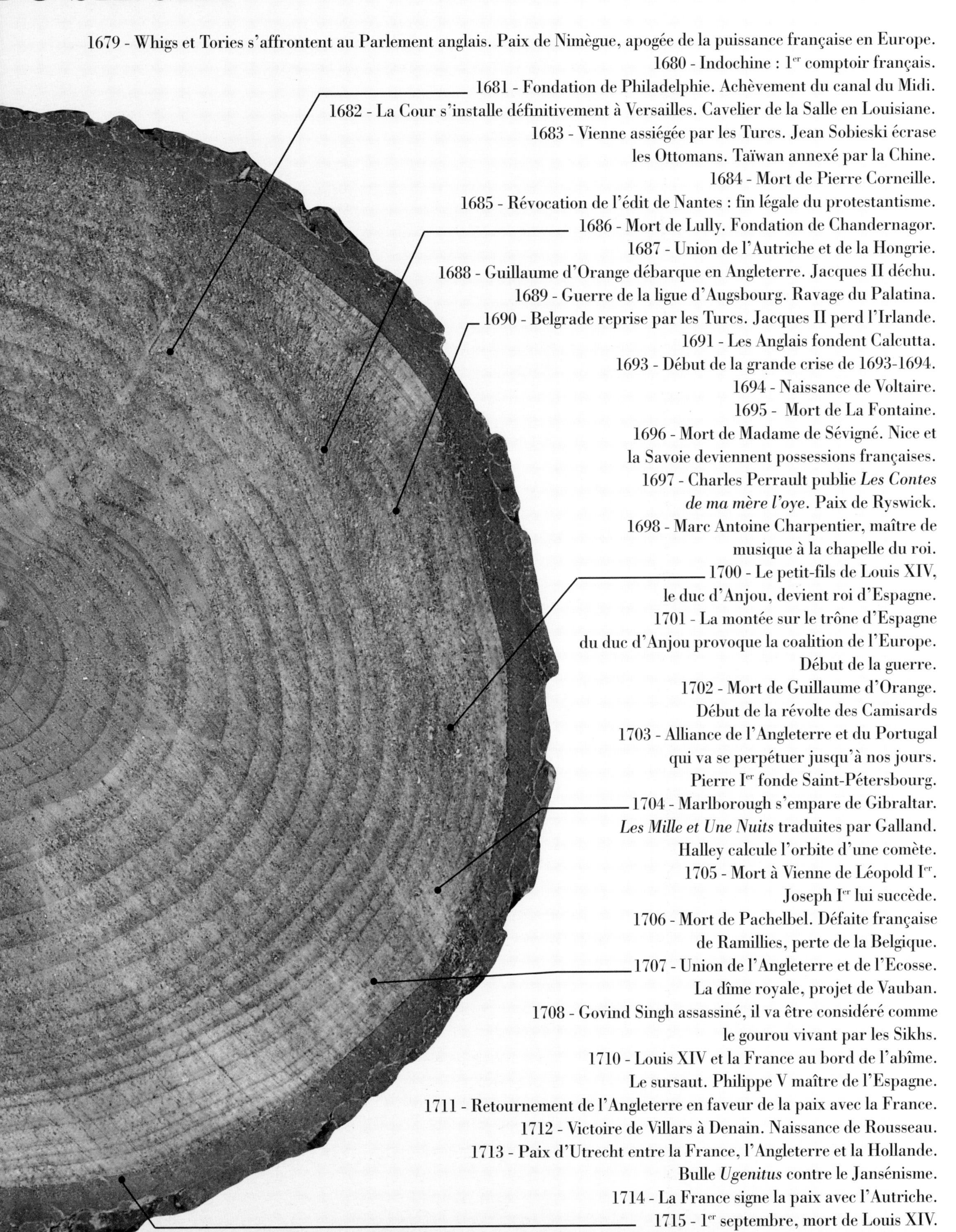

1679 - Whigs et Tories s'affrontent au Parlement anglais. Paix de Nimègue, apogée de la puissance française en Europe.
1680 - Indochine : 1er comptoir français.
1681 - Fondation de Philadelphie. Achèvement du canal du Midi.
1682 - La Cour s'installe définitivement à Versailles. Cavelier de la Salle en Louisiane.
1683 - Vienne assiégée par les Turcs. Jean Sobieski écrase les Ottomans. Taïwan annexé par la Chine.
1684 - Mort de Pierre Corneille.
1685 - Révocation de l'édit de Nantes : fin légale du protestantisme.
1686 - Mort de Lully. Fondation de Chandernagor.
1687 - Union de l'Autriche et de la Hongrie.
1688 - Guillaume d'Orange débarque en Angleterre. Jacques II déchu.
1689 - Guerre de la ligue d'Augsbourg. Ravage du Palatina.
1690 - Belgrade reprise par les Turcs. Jacques II perd l'Irlande.
1691 - Les Anglais fondent Calcutta.
1693 - Début de la grande crise de 1693-1694.
1694 - Naissance de Voltaire.
1695 - Mort de La Fontaine.
1696 - Mort de Madame de Sévigné. Nice et la Savoie deviennent possessions françaises.
1697 - Charles Perrault publie *Les Contes de ma mère l'oye*. Paix de Ryswick.
1698 - Marc Antoine Charpentier, maître de musique à la chapelle du roi.
1700 - Le petit-fils de Louis XIV, le duc d'Anjou, devient roi d'Espagne.
1701 - La montée sur le trône d'Espagne du duc d'Anjou provoque la coalition de l'Europe. Début de la guerre.
1702 - Mort de Guillaume d'Orange. Début de la révolte des Camisards
1703 - Alliance de l'Angleterre et du Portugal qui va se perpétuer jusqu'à nos jours. Pierre Ier fonde Saint-Pétersbourg.
1704 - Marlborough s'empare de Gibraltar. *Les Mille et Une Nuits* traduites par Galland. Halley calcule l'orbite d'une comète.
1705 - Mort à Vienne de Léopold Ier. Joseph Ier lui succède.
1706 - Mort de Pachelbel. Défaite française de Ramillies, perte de la Belgique.
1707 - Union de l'Angleterre et de l'Ecosse. La dîme royale, projet de Vauban.
1708 - Govind Singh assassiné, il va être considéré comme le gourou vivant par les Sikhs.
1710 - Louis XIV et la France au bord de l'abîme. Le sursaut. Philippe V maître de l'Espagne.
1711 - Retournement de l'Angleterre en faveur de la paix avec la France.
1712 - Victoire de Villars à Denain. Naissance de Rousseau.
1713 - Paix d'Utrecht entre la France, l'Angleterre et la Hollande. Bulle *Ugenitus* contre le Jansénisme.
1714 - La France signe la paix avec l'Autriche.
1715 - 1er septembre, mort de Louis XIV.

BIBLIOGRAPHIE

GÉNÉRALE

François Bluche : Louis XIV – Fayard

Pierre Gaxotte : Louis XIV – Flammarion

Philippe Erlange : Louis XIV – Fayard

Nancy Mitford : Le Roi-Soleil – N.R.F.

François Bluche : Louis XIV vous parle – Stock

LA VIE À VERSAILLES

Jean-François Solnon : La Cour de France – Fayard

Jacques Levron : La vie quotidienne à la Cour de Versailles – Hachette

Duc de Saint-Simon : Mémoires – La Pléiade

Jean Prasteau : Il était une fois, Versailles – Pygmalion

John Barry : Versailles – Seuil

Primi Visconti : Mémoires – Perrin

Daniel Meyer : Quand les rois régnaient à Versailles – Marabout

LE CHÂTEAU

Pierre Verlet : Le château de Versailles – Fayard

Claire Constans : Versailles. Château de la France et orgueil des rois – Gallimard

Le Guillou J-C : Versailles, histoire du château des rois – Edition des deux coqs d'or

LITTÉRATURE

Les miroirs du Soleil. Littérature et classicisme au siècle de Louis XIV – Gallimard

Madame de Sévigné : Lettres choisies – Folio

Madame de Sévigné : Lettres de Madame de Sévigné – Scala

VIE DES FRANÇAIS

François Bluche : La vie quotidienne des Français au temps de Louis XIV – Hachette

Jacques Wilhem : La vie quotidienne des parisiens au temps du Roi-Soleil – Hachette

Pierre Goubert : Louis XIV et vingt millions de Français – Fayard

ILLUSTRATIONS

Jean Henry : retouches couverture, pages 20-21

Cathy Millet : pages 8-9, 62-63, 80-81

Gérard Pichelin : pages 10-11

Thierry Sainsaulieu : pages 16-17

Gérard Nicolas : pages 18-19, 40-41, 44-45, 52-53, 54-55, 72-73

Patrick Henry : pages 24-25, 34-35, 74-75

Philippe Poncet de la Grave : pages 36-37, 42-43, 60-61

Jean-Paul Colbus : pages 26-27

Patrick Gueriot : pages 30-31, 32-33

Stéphane Ruais : pages 70-71

Maurice Leloir : pages 50-51, 78-79
© by S.P.A.D.E.M.

Li Zhong Yao : Calligraphie page 2

PHOTOS

Jean-Blaise Hall : pages 58-89, 28-29

Georges Delèze : stylisme et recettes pages 58-59

Anne Davis : recettes

Jean-Marie Troude : pages 6-7, 12-13, 14-15, 64-65, 76-77, 94-95

Geoffroy Gaussen : pages 38-39

CRÉDITS PHOTOGRAPHIQUES

Collection privée. Couverture

Photos Bibliothèque Nationale – Paris : pages 4-5, 47

Lauros Giraudon : pages 12-13, 14-15, 46, 68-69, 83, 84-85, 92-93

Photos Réunion des Musées Nationaux : pages 12-13, 14-15, 22-23, 69

Agence Sygma : l'illustration page 87

Photos Richard Meloul : pages 48-49

Agence Magnum, Cornell Capa : pages 88-89

Musée historique allemand : page 86

REMERCIEMENTS

Agenda : fond, Galerie du Bac – Hermès

Recette petits pois : tissu Robert Le Hero pour Nobilis

Assiette : Véronique de Mareuil et Pierre de Gastine

Jambon aux clous de girofle : tissu Robert Le Hero pour Nobilis

Pain de veau : tissu Ravage pour Nobilis

Crème de fraise : tissu Robert le Héro pour Nobilis

Composition mise en page : Aragorn

Photogravure : S.N.O.

Impression :